作 者 简 介

林昭,1929年生于新加坡,原籍福州市,1952年毕业于清华大学,教授级高级工程师,中国工程设计大师。现任水利部天津水利水电勘测设计研究院副总工程师、专家委员会副主任,水利部科学技术委员会委员,黄河小浪底水利枢纽工程技术委员。

大学毕业后一直从事水利水电工程设计,至今已51年,目前还分管正在施工中的西部开发重点工程——黄河沙坡头水利枢纽工程。前后负责过20多项国内外大型水利水电工程设计,其中包括河北岗南水库、山西汾河水库、河南板桥水库复建、黄河黑山峡大柳树水利枢纽、刚果英布鲁水电站、马来西亚槟城供水工程等。上述工程的拦河坝都是大型土石坝,其中板桥水库复建工程曾先后获水利部及国家优秀设计银奖。

对土石坝设计比较熟悉,前后曾参加数十座土石坝的审查鉴定、质量处理和技术咨询,解决许多关键技术问题,为国家节省不少资金。作为专家参加由中国国际工程咨询公司组织的多项大型水利水电工程,如黄河小浪底工程、南水北调东线工程、天生桥一级水电站、广东飞来峡水利枢纽等工程的国家评估;参加三峡、小浪底、大广坝、湖北王莆洲、新疆"635"等大型水利枢纽工程的安全鉴定和验收;主持过南水北调中线总干渠工程可行性研究报告的预审。

曾在重要学术刊物上发表过多篇土石坝论文,为中国大百科全书水利篇撰写有关土石坝的全部条目。

鉴于个人的业绩和贡献,1991年被批准为首批享受政府特殊津贴的专家,1994年获国家颁发的"中国工程设计大师"称号,1998年被评为中国归侨侨眷先进个人。

碾压式土石坝设计

林 昭 著

黄 河 水 利 出 版 社

内 容 提 要

本书包括碾压式土石坝设计的全部内容:枢纽布置;各种断面型式和适用条件;各种筑坝材料及填筑标准的确定;对各种坝基的处理方法;土石坝的岸坡接头以及与混凝土建筑物的连接型式;坝体结构;各种有关计算(如渗流、坝坡稳定、沉降、坝体应力应变等);土石坝抗震及监测等。

本书内容丰富,资料翔实,充分借鉴国内外已建的大量土石坝工程实践经验,附有大量图表和数据,详述各种工程措施,指出设计中应该注意的各个方面,实用性比较强,可供从事土石坝设计的技术人员及大专院校水工结构专业的师生参考。

图书在版编目(CIP)数据

碾压式土石坝设计/林昭著.—郑州:黄河水利出版社,
2003.7(2004.12 重印)
 ISBN 7 – 80621 – 672 – 3

Ⅰ.碾… Ⅱ.林… Ⅲ.碾压土坝 – 设计 Ⅳ.TV641.2

中国版本图书馆 CIP 数据核字(2003)第 021658 号

出 版 社:黄河水利出版社
　　　地址:河南省郑州市金水路 11 号　　　邮政编码:450003
发行单位:黄河水利出版社
　　　发行部电话及传真:0371 – 6022620
　　　E-mail:yrcp@public.zz.ha.cn
承印单位:黄河水利委员会印刷厂
开本:850 mm×1 168 mm　1/32
印张:8.125　　　　　　　　　　插页:2
字数:213 千字　　　　　　　　印数:3 001—5 000
版次:2003 年 7 月第 1 版　　　印次:2004 年 12 月第 2 次印刷
书号:ISBN 7 – 80621 – 672 – 3/TV·311　　定价:19.80 元

自　序

　　目前出版科技书籍，多请名人作序，大抵对作者及书的内容进行介绍并褒扬。水利界的著名专家学者我大部分都熟悉，找人作序并不难，之所以没这样做，一是不好意思浪费精英的宝贵时间，二是认为一本书的水平和使用价值，可由广大读者去评判，我于是自行作序。

　　拦河筑坝是人类利用水资源来为自身造福而采取的一种工程措施。拦河坝型式多种，以土石坝最为广泛。这是由于土石坝可以充分利用土、砂、砂砾和石料等当地材料筑成，对坝基要求相对较低，能适应多种地基。土石坝不仅可以修在岩基上，而且更多修在土、砂、砂砾等软基上，故在国内外得到广泛采用。由于土石坝数量远超过混凝土坝，本书对象为土石坝设计，所选题材有现实意义。

　　我大学毕业后一直从事水利水电工程设计，至今已半个世纪，接触过许多土石坝工程，深深感到土石坝无论坝体、坝基都属岩土范畴，都是非均质弹塑性体，计算时往往需对应力应变关系、物理力学参数或边界条件等作一些假定，计算结果属于半理论半经验，有时只供判断用，而不能成为设计决策的惟一依据。做好土石坝工程设计，不仅在于会计算，更重要的是如何结合坝址地形、地质和筑坝材料等具体条件，借鉴已成工程的成功经验，在布置、结构型式、处理办法等方面采取有效措施，做到既经济又安全。对于一个成熟的土石坝设计工程师，丰富的工程实践经验至关重要。

本书内容力求精炼、实用，虽然没有洋洋数十万字，但却基本涵盖了土石坝设计的所有内容。不仅介绍必要的计算公式、图表和设计指标范围值，还根据作者数十年的实践经验，并参照一些技术文献和国内外大量土石坝工程实例，用相当多的篇幅阐述各种坝型的优缺点和特色、筑坝材料的选择、坝基处理措施、抗震和活断层上筑填的工程措施等，内容比较丰富，可供读者参考。此外，还在有关章节中提醒设计者应该注意的方方面面，以上这些算是本书特点。

我编著此书态度是认真严谨的，由于工作忙，只能挤时间，断断续续写了近两年，也算倾注了一番心血，如对广大读者能有一定参考价值，多少有所帮助，则心满意足矣！限于个人水平，本书如有不当之处，尚祈同行专家和读者批评指正。

在本书出版过程中，承蒙水利部天津水利水电勘测设计研究院的领导和有关同志以及黄河水利出版社给予大力支持，谨致衷心感谢。

中国工程设计大师　林昭

2003 年 2 月

前　言

　　新中国成立后,尤其是改革开放以来,党和政府十分重视我国的水利事业,把它看成是发展国民经济、增强国力的一项重要基础设施,先后投入数以千亿元计的大量资金。近年来水利投资逐年增加,建成了许多水利工程,其中修坝蓄水、兴利除害的水库枢纽工程占有重要地位,而拦河坝是水库枢纽中的重要组成部分,被多方所瞩目,其中长江三峡大坝和黄河小浪底大坝最为著名。

　　在拦河坝中以土石坝最多,据不完全统计,全世界坝高超过15m的土石坝有29 000多座;而在我国,各种坝高的拦河坝有86 000多座,其中土石坝占95%以上。土石坝之所以如此广泛,一是可以充分利用土、砂、砂砾、石料等当地材料,二是对坝基要求相对比混凝土坝低,如土、砂砾等软基不适于修建混凝土坝,但却可以修建土石坝。应指出,土石坝发生事故也相对多些,首先是由于洪水账偏低或泄水建筑物规模偏小,因而造成洪水漫坝失事。如河南省1975年8月特大洪水中,板桥和石漫滩水库土石坝漫顶垮坝,给下游造成严重危害。其次,由于许多土石坝是建在土、砂、砂砾等软基上,因坝基渗流破坏而失事的也时有所闻。土石坝失事有不少是由设计不当造成的,对土石坝尤应强调精心设计。

本书为碾压式土石坝设计,具体对象是指用碾压机具将建坝材料分层压实而筑成的土石坝,它占土石坝的绝大部分。本书篇幅虽然不大,但已包括碾压式土石坝设计的全部内容,如阐明各种型式的坝体断面、枢纽布置原则、筑坝材料的选用以及压实标准的确定、各种坝基处理方法、坝体细部设计、有关计算、抗震措施和观测设计等。鉴于坝基渗流破坏为土石坝失事的主要原因之一,故本书对坝基处理作了较详细叙述,结合实践经验,介绍许多处理办法,占了较多篇幅,这是必要的。

土石坝设计包含许多计算,如坝体应力应变、坝坡稳定分析等都与岩土有关。岩土为非均质弹塑性体,计算所需要的参数和边界条件等都作了一些假定,在这样基础上做出的计算,很难准确无误地反映客观实际。因此,在土石坝设计规范中,便把计算方法、参数选定和要求的最小安全系数相互配套,作出相应规定。如坝坡抗滑稳定分析,以往多用不计条块间作用力的瑞典圆弧法,近年引入计入条块间作用力的简化毕肖普法,后者比前者更合理,算出来的坝坡也常比前者陡些。但由于已经建成的土石坝坝坡,大半是采用瑞典圆弧法和配套的安全系数计算确定,并经受了实践考验,而简化毕肖普法经过实践考验的还比较少,为保险起见,应减少两种方法计算出来坝坡的差别。因此,在新修订的碾压式土石坝设计规范中,对坝坡稳定分析,虽首选简化毕肖普法,但对其允许的最小安全系数却比瑞典圆弧法提高8%左右。混凝土重力坝的抗滑稳定计算也有类似情况,用抗剪断强度计算要求的最小抗滑稳定安全系数,就远大于用抗剪强度计算的结果。以上说明,涉及岩土的计算,有不少是半经验半理论,必须紧密结合工程实践。因此,本书不仅仅介绍各种有关计算方法和相关图表,而且还吸取工程实际经验,参考有关文献资料,用较多篇幅来阐述布置、选型、处理办法和相应的工程措施等,供设计者参考。

著　者

2003 年 2 月

目　录

第一章 概　述

本书所涉及的土石坝是指用土、砂、砂砾和石料等当地材料筑成的拦河坝,而用钢筋混凝土、沥青混凝土以及土工合成材料等非土质材料作防渗体的土石坝不在本书范围内。

土石坝是一种最古老的坝型,早在4 100年前,巴比伦人民已在幼发拉底河上为发展灌溉而修建土坝;公元前,印度、埃及以及其他国家也建成一些土坝。为了防御黄河洪水灾害,早在春秋(公元前770年～前476年)以前,中国人民就已沿黄河两岸修建土堤,经过历代扩充加固,至今全长已达1 498km,就其结构而言,土堤实质上就是土坝。公元前598年～前591年在安徽省寿县修建堤堰形成安丰塘水库。17～18世纪俄国在乌拉尔等地修建200多座土坝以满足采矿及工业用水需要。

碾压式土石坝是指用碾压机具将土、砂和石料等分层碾压而建成的一种拦河坝。当前世界上碾压式土石坝发展最快,无论是坝高或数量方面都远超过混凝土坝,约占建坝总数的95%以上。在100m以上高坝中,1961～1968年土坝仅占38%,至1975年以后,就增加到75%,其中已建的土石坝以苏联努列克为最高,达317m;已建坝高超过200m的土石坝还有高达263m的墨西哥奇科森坝、高达242m的加拿大买卡坝以及高达235m的美国渥洛维尔坝等共9座。在中国已建坝高超过100m的土石坝有黄河小浪底(156m)、陕西石头河(105m)、甘肃碧口(101m)及云南鲁布革(101m)等。在国内外已建的高土石坝,不少位于8度或9度强震区以及工程地质条件不良的地区。

碾压式土石坝之所以得到广泛发展,主要具有如下特点:

（1）土石坝可以就地取材，采用土料、砂、砂砾、石渣和石料等筑坝，大大节省水泥、钢材和木材等外运材料。

（2）随着土力学理论及实践日益完善，土石坝筑坝经验不断积累，使防渗土料由粘土、壤土等传统细粒土料扩大至黄土、坡残积红土、砾石土甚至膨胀土，其级配范围十分宽广。近年来，由于大型振动平碾的问世，使得从以往要求采用新鲜坚硬石料作为透水坝壳，发展至可以采用软岩、风化岩以及从建筑物基坑开挖出的石渣，通过振动平碾压实形成可靠坝壳。所有这些都大大拓宽了土石坝用料范围，得以因地制宜，提高经济效益。

（3）土石坝对坝基要求，无论是承载力或抗剪强度方面都比混凝土坝低。许多土石坝都直接建在砂砾甚至土基上，而混凝土坝就难以做到。对坝基要求相对低，是广泛采用土石坝的又一个原因。

（4）近年来大型土方机械相继出现，使修建碾压式土石坝所需的开挖、运输、碾压等作业得以实行大规模机械化，效率及经济效益大为提高，施工速度加快，工期明显缩短。

（5）土石坝造价通常低于混凝土坝。

目前土石坝发展趋势是用料多样化，采用大规模机械化施工，坝高逐渐增加，在拦河坝中所占比例愈来愈大。

第二章 枢纽布置和坝型

第一节 枢纽布置

土石坝枢纽通常包括拦河坝、溢洪道、泄洪洞、输水或引水洞及水电站等，应根据地形地质条件，通过技术经济比较确定。

坝址应选在地形地质有利的地方，使坝轴线较短、库容较大、淹没少，附近有丰富的筑坝材料，便于布置泄水建筑物。在高山深谷区，常将坝址选在弯曲河段，把坝布置在弯道上，利用凸岸山脊设置溢洪道和隧洞等，但当山脊比较单薄时，需校核水库蓄水后的山脊抗滑稳定和渗透稳定，并采取帷幕灌浆、排水、锚喷和填筑压戗等相应加固措施。应尽量避免将坝址选在工程地质条件不良的地段，如活断层，会形成整体滑动的软弱夹层，以及粉细砂、软粘土和淤泥等软弱地基上。

坝轴线一般宜顺直，如布置成折线，在转折处以曲线连接。如坝轴平面形成弧形，最好是凸向上游；如受地形限制，不得不凸向下游，曲度应小些，防渗体不要过薄，以免蓄水后防渗体产生拉力而出现顺水流方向的裂缝。

水流漫顶将招致土石坝失事，故洪水账应留余地，应设置安全可靠有足够泄流能力的泄水建筑物，这些对于土石坝安全运用至关重要。由于溢洪道超泄能力较大，如有条件应优先考虑。如坝址附近有天然垭口，可以利用布置溢洪道，并用其开挖料筑坝。由于陡槽流速高，溢洪道宜尽量布置成直线，上游引水渠和下游出水渠，可布置成弯道。当坝址附近没有天然垭口，也可以将溢洪道布置在坝肩,紧挨土石坝,用混凝土或浆砌石导墙隔开,并要保护上游坝坡,防止被横向水流冲刷。

泄洪洞是最常见的另一种泄水建筑物,经常采用"龙抬头"型式,将导流洞进口抬高,改造成泄洪洞。混合式泄洪洞进口采用溢流堰,与溢洪道相似,但泄流陡槽却采用隧洞。明流洞身尽可能直线布置。在中小型土石坝枢纽中,也有采用坝下埋管作为泄水建筑物,坝下埋管最好建在岩基上,如需建在土基上,要求土基密实、均匀,而且埋管沿线的土基刚性不要相差过大,避免产生不均匀沉降。坝下埋管优先采用明流,避免在明满流交替状况下工作。

如泄水建筑物和水电站布置在同一岸,发电引水洞通常靠近岸边,而泄水建筑往岸里布置,这样发电引水洞可以短些,对降低水锤压力有利,同时使得泄水建筑物出口位于水电站尾水渠下游,减少泄流时水面波动,影响水电站尾水位。

泄水建筑物出口离下游坝脚应有一定距离,并采用可靠消能措施,如消力池、挑流鼻坎等,来达到消能目的,防止淘刷坝脚。

第二节　坝　型

采用土料防渗的碾压式土石坝通常采用如下的 4 种断面型式。

一、均质土坝

坝体绝大部分采用同一种筑坝材料筑成的土坝(图 2-1)。通常用弱透水土料,如粘土、壤土和砾石土等修筑均质土坝;当受到料源限制时,偶尔也采用砂壤土和砂等透水性大的材料修筑,但仅适用于对渗漏量基本可以不控制的滞洪水库,而且上下游坝坡比较缓,以满足坝坡稳定要求。

均质土坝适用于当地只有一种筑坝材料的情况。其优点是:坝体材料单一,施工工序简单,干扰少;坝体防渗部分厚大,渗透比

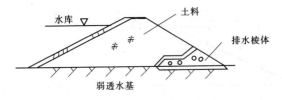

图 2-1 均质土坝

降比较小,有利于渗流稳定和减少通过坝体的渗流量,此外,坝体和坝基、岸坡及混凝土建筑物的接触渗径比较长,可简化防渗处理。均质土坝的缺点是:由于土料抗剪强度比用在其他坝型坝壳的石料、砂砾和砂等材料的抗剪强度小,故其上下游坝坡比其他坝型缓,填筑工程量比较大。坝体施工受严寒及降雨影响,有效工日会减少,工期延长,故在寒冷及多雨地区的使用受到限制。由于这种坝型全断面基本上都用弱透水材料筑成,排水性能差,施工期因填土自重而产生的孔隙水压不易消散,对坝坡稳定不利。

位于相对不透水基上的均质土坝,如不设置坝内排水,坝体浸润线会上抬很高(图 2-2),需要较缓的下游坝坡才能保证边坡稳定,而且对渗水出逸的下游坡面还必须用透水料保护。此外,当库水位降落时,在上游坝坡范围内浸润线以下的坝体饱和水排向库内,渗水方向对上游坡稳定不利,需要比较缓的上游坡以维持边坡稳定。因此,不透水基上均质土坝常需设置坝体内排水,详见第五章第七节"坝体排水"。

均质土坝主要用于中低坝,高坝用得不多。

二、多种土质坝(或分区坝)

采用两种以上的当地材料在坝体内分区填筑而成。除采用土质防渗料外,还采用砂、砂砾和石渣石料等透水料。土料置于坝体中间或靠上游,再按反滤排水原则分别设置从中间向上下游,或由上游向下游透水性逐渐增大的透水料,见图 2-3。

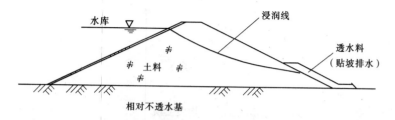

图 2-2 位于相对不透水基上的均质土坝

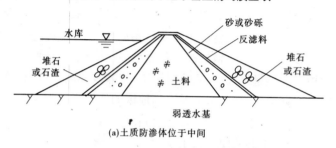

(a)土质防渗体位于中间

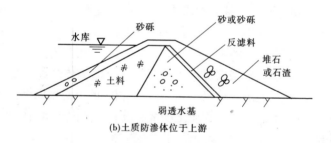

(b)土质防渗体位于上游

图 2-3 多种土质坝

  多种土质坝适用于坝址附近具备土料以及几种透水料，之所以采用几种透水料有时是由于其中任何一种透水料的储量不能满足填筑要求。采用这种坝型可以尽量利用枢纽建筑物开挖出来的石渣筑坝。

  该坝型的优点是可以因地制宜，充分利用包括石渣在内的当地各种筑坝材料；土料用量比均质土坝少，施工受气候影响也相对小一些。坝体从土质防渗体开始,向上下游分别按照反滤排水原则分区配置透水材料,有利于坝体排水,简化排水设施,降低下游坝体浸润线。如土质防渗体位于中间,库水降落时,上游透水料孔隙中的水分迅速外排,上游坝坡可以比较陡。如土质防渗体靠上游,下游坝体全为透水料,下游坝坡可以比较陡。该坝型比均匀土质坝节省坝体填筑方量,但缺点是坝体由多种材料分区填筑,工序复杂,施工干扰大。

三、土质心墙坝

土质防渗体位于坝体中间,上下游坝壳基本由一种透水料填成(图2-4)。如心墙略偏向上游,称为土质斜心墙坝(图2-5)。这种坝型适用于当地有防渗土料,又有足够数量的单一透水料,而且透水料场沿上下游分布,其蕴藏量大抵相当,便于分别从上下游上料,填筑透水料坝壳,使施工方便。

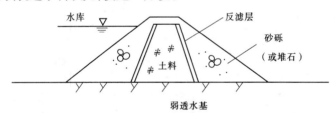

图2-4 土质心墙坝

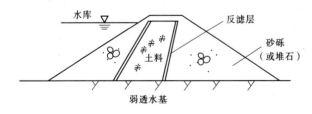

图2-5 土质斜心墙坝

土质心墙坝的优点是:①心墙位于坝体中间而不倚靠在透水坝壳上,其自重通过本身传到基础,不受坝壳沉降影响,依靠心墙填土自重,使得沿心墙与地基接触面产生较大的接触应力,有利于心墙与地基结合,提高沿接触面的渗透稳定性;②当库水位下降时,上游透水坝壳中的水分迅速排泄,有利于上游坝坡稳定,使上游坝坡比均质土坝或斜墙坝陡;③下游坝壳浸润线也比较低,下游坡也可设计得比较陡;④在防渗效果相同的情况下,土料用量比斜墙坝少,施工受气候影响相对小些;⑤位于坝轴线上的心墙与岸坡及混凝土建筑物连接比较方便。土质心墙坝的缺点是:①心墙土料与坝壳透水料平起,在气候对土料施工不利的情况下不能像斜墙坝那样先填坝壳争取工期;②心墙位于坝体中间检修不便;③在多泥沙河道上,土质心墙不能直接与水库淤土连接,无法利用水库淤土,作为透水坝基的防渗铺盖。虽然也可以在上游坝壳底部设土质铺盖,以解决土质心墙与水库淤土的连接问题,但土质铺盖抗剪强度比坝壳透水料低,成为上游坝壳抗滑的软弱部位,使上游坝坡需设计得缓些。

四、土质斜墙坝

土质防渗体靠上游,下游透水坝壳基本由一种透水材料筑成,见图 2-6。适用于当地有丰富的土料和透水料,尤其是当不透水料场主要位于上游时,采用这种坝型便于土料上坝,施工方便。

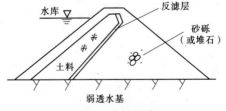

图 2-6 土质斜墙坝

在雨季或者冬季填筑土料有困难时采用土质斜墙坝,可以先填下游坝壳透水料,争取工期;土质斜墙容易检修;基础处理干扰比较小;下游坝壳浸润线比较低,对下游坡稳定有利;在多泥沙河道上斜墙便于与水库淤土连接,形成天然铺盖,用于坝基防渗。

这种坝型的缺点是:土质斜墙靠在透水坝壳上,如坝壳沉降较多,将使斜墙开裂;与岸坡及混凝土建筑物连接不如心墙坝方便,斜墙与地基接触应力比心墙小,同地基结合不如心墙坝。

坝型的选择主要应根据坝址区地形地质条件、筑坝材料情况,如质量、蕴藏量、开采条件、上坝路线、运距,以及气候、坝高和利用基坑开挖料的可能性等进行综合考虑,因地制宜,通过技术经济比较,择优选定。

第三章 筑坝材料和填筑标准

第一节 筑坝材料

应遵循因地制宜、就地取材的原则设计土石坝。首先在坝址附近广泛进行筑坝材料调查，随着调查阶段逐步深入，逐步提高调查精度。通过筑坝材料调查，落实筑坝材料性质、可开采量、运距和开采条件等，据此选定坝型、坝的断面结构，以及施工机具和方法。要优先采用离坝址近的筑坝材料，尽量少占或不占农田，尽可能利用建筑物基础开挖料。

本节着重介绍一些筑坝材料的主要性质、基本要求和主要物理力学指标经验值，供设计参考。对于重要土石坝，筑坝材料的物理力学指标应通过试验及工程类比确定。

一、土质防渗料

土质防渗料使用范围较广，从一般粘性土到黄土、坡残积红粘土、砾石土和膨胀土等，国内外防渗料级配范围见图 3-1。但是沼泽土，班脱土，地表土，开挖压实困难的干硬粘土，塑性指数大于 10、液限大于 40%的冲积粘土，冻土等不宜采用。在寒冷地区有时不得不用冻土，要控制冻土含量不超过 10%，最大冻土块径不大于铺土厚的 1/2，冻土含水量不超过塑限含水量。

防渗料的水溶盐含量(指易溶盐和中溶盐，按重量计)不超过 3%；有机质含量对均质坝不要超过 5%，对心墙坝和斜墙坝不超过 3%；压实后的渗透系数，对均质土坝不大于 1×10^{-4} cm/s，对心墙、

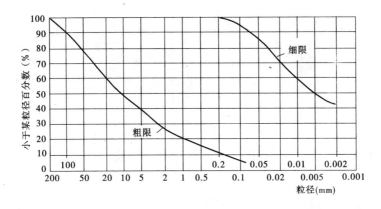

图 3-1　防渗料级配范围

斜墙和铺盖不大于 1×10^{-5} cm/s。现对几种土质防渗料分述如下。

(一) 一般粘性土

通常不含大于 2mm 的粒径,粘粒(小于 0.005mm)含量一般大于 10%,最好在 10%～40%范围内,这样容易压实,对含水量不太敏感,处理含水量(增加或减少)相对容易。对于心墙或斜墙也有采用粘粒含量达 40%～50%、甚至更高的粘性土;但粘粒含量过高的粘土不易压实,容易干裂,对天然含水量比较敏感,不好处理,应慎用。粘性土的塑性指数最好在 10～17 之间,而且级配连续。碾压后粘性土的渗透系数主要取决于粘粒含量和压后干密度,一般为 $i \times 10^{-6} \sim i \times 10^{-8}$ cm/s($1 \leqslant i < 10$,下同),内摩擦角 20°～25°,粘聚力 10～50kPa。

(二) 黄土

广泛分布在我国华北和西北地区,其粘粒含量为 10%～25%,粉粒(粒径 0.05～0.005mm)含量为 50%～70%,液限为 20%～33%,塑性指数为 7～17,天然干密度 1.3～1.45t/m³,黄土在塑性图上的位置见图 3-2。

天然黄土为钙质胶结,垂直孔隙发育,有些黄土浸水后钙质软

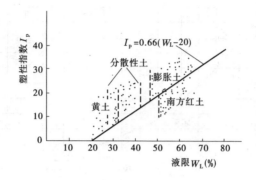

图 3-2　几种土在塑性图上的位置

化产生湿陷,作为坝基应慎重,并应进行处理。如利用筑坝,通过开挖破坏其垂直孔隙,再经过碾压密实,仍可成为合格的防渗料。我国华北、西北地区曾用黄土成功建成许多土石坝,根据各地区已建成的 28 座黄土坝设计指标统计,最优含水量 16%～19%,干密度 1.6～1.7t/m^3,渗透系数 $i×10^{-5}～i×10^{-7}$cm/s,内摩擦角 20°～25°,粘聚力为 10～30kPa。

有些黄土含有较多礓石,由于礓石是钙质结核,属于难溶盐,溶解水中的速度十分缓慢,对坝安全没有威胁,不必硬性规定允许的含量。黄土料场如有成层礓石,最好采用立面开采,使其与含礓石少的土层混掺;上坝后应使礓石在坝内散开,防止在坝体内形成集中的礓石层,蓄水后成为漏水通道。

常遇黄土天然含水量远低于最优含水量,碾压前需加水处理。固然可将黄土运至坝面再洒水,但不易均匀。如条件允许,最好在料场根据地形,因地制宜划分畦块进行灌水,并控制灌水量,经灌水处理后的黄土天然含水量一般能保持在塑限附近,接近最优含水量。灌水后将表土刨松,待填筑时再按计划逐块开挖上坝。黄河上游刘家峡水电站黄土副坝即成功地用该法在料场进行了加水处理。

对粘粒含量低、粉粒含量高、抗管涌冲蚀能力低的黄土,应注意做好反滤保护。用此类黄土筑坝,饱和后如遇地震还可能液化,防止办法除碾压密实,使其干密度一般不低于 $1.65t/m^3$ 外,还可用透水料进行压盖,以施加一定盖重防止液化,所需盖重由振动试验确定。

(三)坡残积红粘土

在我国南方一些地区广泛分布由当地岩石在湿热条件下风化而成的坡残积红土,其性质与母岩有关。其中,以云南贵州地区由石灰岩、白云岩等风化而成的红土比较典型,其他如玄武岩、花岗岩和片麻岩等也会风化成红土,但性能有一定差异。

坡残积红土外观呈红色或红黄色,土层一般不厚,矿物成分主要为高岭石、伊里石和针铁矿等,胶体活动指标(指塑性指数和小于 0.002mm 胶粒含量之比)一般小于 1,属于不活动或正常活动的粘土。这类土的粘粒含量有的高达 50%～70%,液限常在 50%以上,塑性指数 20～35,在塑性图上的位置见图 3-2。

此类土的天然含水量虽然高达 30%～50%,但最优含水量及界限含水量也高,天然干密度低,一般为 $1.2～1.4t/m^3$。红土不易压实,碾压后干密度一般仅为 $1.3～1.55 t/m^3$,再提高击实功能对增加干密度的作用并不显著。这是由于红土含有上述较为稳定的矿物成分,二价交换性阳离子及酸性介质的作用,使粘粒和胶粒部分均处于凝聚状态,形成表面粗糙的耐水团粒,影响土粒之间相互挤紧,故不易压实,但正由于此,其压缩性也小,填筑后沉降量不大。因此,对于红土,可采用通常的碾压机具和碾压遍数,定出合理的压实标准,而不宜不做具体分析,照搬其他地区粘性土料的压实标准,盲目追求较高的填筑干密度,以免浪费和由于过度碾压造成填土剪力破坏。

如上所述,由于红土具有团粒结构,因此具有粗粒土和细粒土的特点。其压缩性低,强度高,透水性不大,可作为防渗料,在云南、贵州、广西和广东等省都已利用坡残积红粘土成功建成土石坝。根据若干已建成工程统计，其压缩系数为 0.001 ~ 0.003 cm²/N，固结快剪内摩擦角 $\phi = 21° \sim 27°$，粘聚力 $C = 34 \sim 70\text{kPa}$，渗透系数 $i \times 10^{-6} \sim i \times 10^{-7}\text{cm/s}$。

(四)砾石土

以往习惯采用不含有粒径大于 5mm 的粘性土作为土石坝的防渗材料，而目前在国内外都已成功利用砾石土来填筑许多土石坝的防渗体。砾石土同时含有粗料(粒径大于 5mm)及细料(粒径小于 5mm)。砾石土的来源：①通过立面开采将各种母岩(如花岗岩、石灰岩、砂页岩和板岩等)所形成的表层残积土和下层全强风化岩屑混掺取得；②用兼有破碎和压实功能的碾压机械设备将一些软岩(如页岩、泥岩和板岩等)压碎、变细而得；③来自级配范围很广(0.002 ~ 150mm)的冰碛土；④通过人工方法将砂卵石、风化岩屑和细土料按一定比例进行混合而得。

当砾石土中砾石(不小于 5mm)含量小于 30% ~ 40% 时，砾石之间孔隙完全被细料(小于 5mm)所充填，砾石本身并不透水。因此，砾石土渗透系数取决于细料，而细料经过压实后渗透系数通常不大，能满足防渗要求，同时在该砾石含量范围内，往往出现砾石土的渗透系数为最小的情况。如砾石含量大于 30% ~ 40%，但小于 60%，由于砾石的骨架作用，使细料达不到最高的压实标准，同时也可能分布不均，因此随着砾石含量增加，渗透系数也加大，但仍可满足防渗要求。实践证明，当砾石含量超过 60%，由于细料量少，在砾石孔隙中填不密实，砾石形成架空，渗透系数迅速变大，不能作为防渗料，但可填筑坝壳。此外，试验证明，砾石土的渗透系数与小于 0.074mm 的颗粒含量关系密切(图 3-3)。当小于 0.074mm 的颗粒含量超过 10%，其渗透系数可小于 1×10^{-5} cm/s，可作为防渗料(图 3-3)。此外，砾石土的渗透系数还与所含细料本身级配及矿物化学成分有关。综上所述，为了满足防渗要求,并为了留有余地,土石坝设计规范规定,砾石土的砾石含量宜不大于 50%,小于 0.075mm 的颗粒含量要求大于 15%。工程实践表明,为了保证不透水性和抗冲蚀性,砾石土粘粒(小于 0.005mm)含量最好至少为 6%～8%。砾石土渗透系数一般为 $i \times 10^{-5}$～$i \times 10^{-7}$ cm/s。

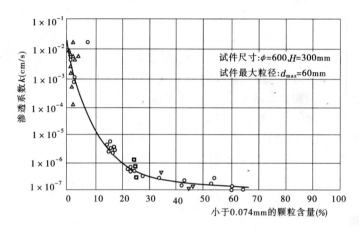

试件尺寸:$\phi=600$,$H=300$mm
试件最大粒径:$d_{max}=60$mm

图 3-3 小于 0.074mm 的颗粒含量与渗透系数的关系

关于砾石土的渗透稳定性,根据国内外实践经验,其允许渗透比降一般采用 2～3,低于粘性土,这或许是由于砾石土级配范围宽,有粗有细,要考虑在渗流作用下细粒可能在粗粒所形成的孔隙中移动、产生内部管涌的不利情况,因此设计采用的允许渗透比降值比粘性土小。但也正由于砾石土的粒径范围大,一旦发生裂缝,粗粒不易被渗流冲走,可能留下来堵塞裂缝,形成自然反滤,使裂缝自愈,故砾石土仍具有一定抗冲蚀能力。

由于砾石土含有一定的粗颗粒,其压缩性通常小于粘性土,压缩系数一般小于 0.001cm²/N(相应垂直应力为 100～200kPa)。当砾石含量小于 60% 时,砾石土的压缩性随砾石含量增加而减小。当砾石含量大于 60% 时,如上所述,由于产生砾石架空,填充其中的细粒压不密实,故压缩性反而有所增大。

砾石土的抗剪强度随干密度增加而提高,浸水后略降,当砾石含量小于30%～40%时,强度主要取决于细料,超过30%～40%时,抗剪强度随砾石含量增加逐渐提高。砾石土抗剪强度由大型剪力试验确定,一般大于粘性土,内摩擦角在22°～30°,粘聚力为10～30kPa。

综上所述,砾石土兼有粘性土及砂性土特性,其级配优良,压实性好,对填筑含水量反应不像粘土敏感,便于施工,抗剪强度高,压缩性低,为良好的筑坝材料。当砾石含量小于50%,小于0.075mm的颗粒含量大于15%时,其透水性小,可作为土石坝的防渗料。最大粒径一般不要超过15cm或填土厚的2/3。砾石土的缺点是塑性低,抗裂性能不如粘性土。自20世纪60年代起,全世界100m以上高土石坝有不少用砾石土筑防渗体,有关实例见表3-1。

利用砾石土筑坝应注意以下几点:①施工时应防止粗细料分离,避免粗料在坝体集中形成漏水通道。②砾石土抗管涌冲蚀能力不如一般粘性土,设计方面应做好反滤保护。由于砾石土级配范围宽,不均匀系数大,如以其全级配作为被保护土按普通反滤准则进行设计,可能得出偏粗的反滤,导致管涌事故。应以砾石土的细料级配作为被保护土来设计反滤料,以保证渗透稳定。③如采用风化软岩筑坝,宜选择羊角碾或凸块振动碾等碾压机具进行压实,将岩块碾碎压密,使之具有弱透水性,而最好不用碾碎作用较差的气胎碾。

(五)膨胀土

膨胀土具有明显的吸水膨胀和脱水收缩的特性,这种土由多种矿物组成,以亲水性强的粘土矿物为主,其化学成分也较复杂,一般为含水的铝硅酸盐。判别膨胀土都是以土和水的相互作用的程度为依据,有多种判别方法,尚未见统一,表3-2是一种以最大体积收缩率 e'_s 进行判别的方法,供设计参考。

表 3-1

国内外高坝用砾石土做防渗料实例

坝名	国家	坝高(m)	坝型	防渗体材料	砾石含量(%)	最大粒径(mm)	天然含水量(%)	最优含水量(%)	填筑干密度(t/m³)	内摩擦角(°)	粘聚力(kPa)	渗透系数(cm/s)	允许渗透比降	竣工年份
麦卡	加拿大	245	斜心墙	冰碛土	25~47.5	200	—	—	—	—	—	1×10^{-7}	3.0	1973
齐维尔	哥伦比亚	237	斜心墙	碎石块及中塑性粘性土	55%大于200#筛	150	19~21	—	—	—	—	—	3.5	1974
渥洛维尔	美国	235	斜心墙	粘土掺卵石	45	75	8~14	—	2.2	14	30	—	1.7	1967
高濑	日本	176	心墙	粘土卵砾石	—	—	—	—	—	—	—	1×10^{-5}	—	—
菲尔尼泽	阿尔巴尼亚	165.6	心墙	粘土掺砂卵石	30~35	60	—	—	—	—	—	1×10^{-7}	1.75	1977
特里尼提	美国	164	心墙	风化安山变质岩	64	75	13	15~17.1	1.76	—	—	—	—	1962
库加尔	美国	158	斜心墙	滑消风化岩	56	150	15	14~23.1	1.89	—	—	1×10^{-7}	—	1963
郭兴能	瑞士	155	心墙	粒径小于100mm卵石人工掺11%粘土	55	75	—	6~8	2.0~2.4	—	—	1×10^{-7}	3.4	1961
给帕茨	奥地利	153	心墙	筛分山麓堆积土和卵石	37~64	80	8~14	6.5~7	2.1	29	10	2.4×10^{-7}	4.8	1965
斯维福特	美国	153	心墙	细粒砾石土	50	100	10	12	1.9	—	—	2×10^{-5}	1.8	—
奈采华柯依托	墨西哥	138	心墙	风化砾岩,砂质粘土	—	—	25	16~28	1.65~1.79	22	0	—	—	1964
御母衣	日本	131	斜墙	人工掺粘土及风化花岗岩混合料	40~63	75	8~14	12.5~18.5	2.05	33	55	1×10^{-5}	1.6	1960

续表 3-1

坝名	国家	坝高(m)	坝型	防渗体材料	砾石含量(%)	最大粒径(mm)	天然含水量(%)	最优含水量(%)	填筑干密度(t/m³)	内摩擦角(°)	粘聚力(kPa)	渗透系数(cm/s)	允许渗透比降	竣工年份
泥山	美国	130	心墙	30%粘土掺70%砂砾	61	125	—	16	1.7~1.8	—	—	5×10^{-8}	—	1941
长野	日本	128	斜心墙	坡积风化土	—	—	14~25	14~20	—	31	0	5×10^{-7}	—	1967
七仓	日本	125	心墙	角砾混合粘土	—	—	—	—	2.0	41	0	1×10^{-5}	—	1978
谢尔庞松	法国	123.5	心墙	冰碛土风化石灰岩	54	150	11~14	11~12	1.86~2.0	>30	—	1×10^{-6} ~1×10^{-7}	2.0	1957
蒙谢尼	法国、意大利	120	斜墙	砾石土	56	150	—	—	—	—	—	2×10^{-6}	2.0	1970
马特马克	瑞士	115	斜墙	冰碛土	36~58	100	—	3.5	2.4	>40	—	10^{-5}~10^{-6}	2.0	1967
鱼良濑	日本	115	心墙	风化粘板岩	47	—	13~19	13.6~17.5	—	31	40	10^{-5}~10^{-7}	1.87	1965
波劳握令	澳大利亚	112	心墙	坡积风化岩	—	—	10.1~23.1	—	1.68~2.06	—	—	10^{-8}	—	1969
玉原	日本	116	心墙	风化凝灰角砾岩	—	—	16.9	14.5~17.2	1.96	30	0	1×10^{-5}	—	1981
布利安尼	英国	111	心墙	砾石土	25~45	150	—	—	—	—	—	—	2.0	—
希尔思溪	美国	104	心墙	砾石土	60	100	—	—	—	—	—	7×10^{-5}	2.0	—
鲁布革	中国	101	心墙	砂页岩风化残积土加砂页岩风化料	—	—	30~34	27.7	1.4~1.56	—	—	$(1.22\sim5.14)\times10^{-5}$	—	—

表 3-2 各种膨胀土的最大体积收缩率 e'_s

膨胀土等级	非膨胀土	弱膨胀土	中膨胀土	强膨胀土	特强膨胀土
体积收缩率 e'_s(%)	<8	8~16	16~23	23~30	>30

注:e'_s 为土样加水达到胀限含水量,使体积达到最大膨胀,再进行充分收缩所测得的最大体积收缩率。

膨胀土液限一般大于 40%,塑性指数大于 15~17,缩限小于 12%,粘粒含量 35%~60%,胶粒含量大于 25%,在塑性图上的位置见图 3-2。

根据试验,膨胀土具有如下特性:

(1)对于天然膨胀土,其膨胀量与天然含水量及干密度有关,如天然含水量小,干密度大,吸水后膨胀量也大。对于压实后膨胀土,当干密度一定时,含水量愈小,吸水后膨胀量愈大;而在含水量一定时,干密度愈大,膨胀量也随之增大(但增量不多),其示意图见图 3-4。如填筑含水量略大于最优含水量,相应的膨胀量最小。

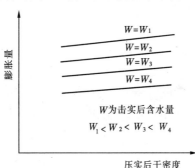

图 3-4 膨胀量~压实后干密度关系曲线

(2)膨胀量 e_p 与作用在膨胀土上的垂直压力 p 有密切关系。e_p 随着 p 的增大而减小,当 $p<100~200$kPa 时,e_p 减小的作用最为显著,见图 3-5。因此可在膨胀土上施加垂直压力以减少膨胀量。

(3)膨胀土强度一般比非膨胀土低,并取决于膨胀量。膨胀量

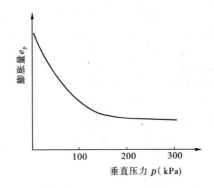

图 3-5　膨胀量～垂直压力关系曲线

愈大,膨胀后干密度愈小,强度也愈小,故用膨胀土填筑的坝,如表层不加压盖,任其吸水自由膨胀,则强度可降低很多。

(4)根据已建成工程统计,击实后膨胀土渗透系数为 $i \times 10^{-7}$ ～$i \times 10^{-9}$ cm/s;最优含水量 20%～30%,最大干密度 1.55～1.65t/m³;在垂直压力为 100～200kPa 时,压缩系数为 0.001～0.003cm²/N;饱和固结快剪内摩擦角为 10°～22°,粘聚力 60～80kPa。

膨胀土在我国分布较广,据初步统计,全国 19 个省市均有发现,已有一些土坝用膨胀土筑成,运行基本正常,但多限于中低坝,高坝少见。国内一些用膨胀土筑坝的实例见表 3-3。

由于膨胀土具有胀缩特性,不是理想的防渗料,但在缺乏其他合适的防渗料情况下也可采用,不过要在设计和施工方面采取一些措施。对膨胀土筑坝提出如下看法和建议:

(1)粘土多少都有遇水膨胀、失水收缩的特点,必须达到一定程度才能列为膨胀土,而目前对膨胀土还缺乏统一鉴定标准,应避免将普通粘土认为是膨胀土。

(2)膨胀土对筑坝影响主要表现在遇水膨胀,强度降低,导致滑坡,失水收缩产生裂缝,但在防渗和压缩性方面都能满足要求。

(3)根据表 3-3 可见,国内用膨胀土筑坝大都为中低坝,故对高坝应慎用。此外,对用膨胀土筑坝的坝坡设计应留有余地,要比一般土坝略缓,以免滑坡。

(4)膨胀土加压后可减少甚至消除膨胀量。采用心墙或斜墙坝型,上下游均为透水坝壳,可起盖重作用,有助于削减膨胀量,而在心墙或斜墙的顶部一定厚度范围内可换填一般粘性土,使之不会因自重不够而遇水膨胀。对于均质土坝,宜在上下游坝面及坝顶一定厚度内都填非粘性土,或结合上下游护坡覆盖砂砾或石渣堆石等,利用其自重对下面的膨胀土加压,既可防止遇水膨胀,又可保护膨胀土,防止失水干裂。

(5)对于填在坝体中下部的膨胀土,因所受自重压力较大,不易遇水膨胀;而对靠近坝顶和上下游坝面自重压力较小可能遇水膨胀部位的膨胀土,可考虑填筑膨胀土的含水量略高于最优含水量 2%~3%,干密度略低于最大干密度,以减少膨胀量。

(6)当用非膨胀土填筑心墙或斜墙时,可将膨胀土填在下游坝壳浸润线以上的干燥区。

(六)分散性土

1.综述

分散性土在我国黑龙江、新疆等地均有分布。大部分为洪积、坡积、湖相沉积和黄土状沉积。在海相沉积的粘土岩和页岩的残积土也发现有分散性。分散性土在塑性图上位于膨胀土与黄土之间,且有小部分与黄土重叠,见图 3-2。

由于分散性土存在较多的可交换钠离子,使土粒周围水膜增厚,减少土粒间吸力,使斥力超过吸力,甚至在静水中土粒也可能相互排斥而形成悬浮状。很低的渗透流速即可将土粒冲蚀,使土堤、土坝招致管涌破坏,尤其当渗水含盐量低时,情况更不利。

2.分散性土鉴定方法

常用以下 4 种方法:

1)碎块试验

将 6~10mm 土块放入装蒸馏水的烧杯,观察 5~10min,根据分散土转入胶体悬液情况分为 4 个等级:Ⅰ——非分散性土,土块在杯底塌散;Ⅱ——微分散性土,土块表面附近水有些混浊;Ⅲ——中等分散性土,能辨别出悬液中的胶体;Ⅳ——强分散性土,杯底有薄层胶体沉淀,整杯水混浊。

2)针孔试验

在特制针孔试验装置中,将击实到设计干密度的土样,穿一个直径为 1.00mm 的轴向细孔,用蒸馏水进行渗流试验,观察在各种水头下的针孔受水冲蚀情况,据此进行分散性鉴别。①高分散性土:在水头为 5cm 时,流出的水很混浊,10min 后针孔孔径等于或大于原针孔孔径的 3 倍。②分散性土:在水头为 5cm 时,流出的水很混浊,10min 后孔径超过原针孔孔径的 2 倍。③过渡型土:在 5cm 和 18cm 水头下,流出的水轻微混浊,10min 后针孔孔径不超过原针孔孔径的 1.5 倍。④非分散性土:在 38cm 或 102cm 水头作用下,流出的水轻微混浊,胶质颗粒很少。⑤高抗冲蚀性土:在 102cm 水头作用下,水色清,孔径不变。

3)双比重计试验

用比重计测定粘粒(<0.005mm)含量,共计两次。第一次为常规加分散剂方法(见《土工试验规程》SD128—84),求出一条级配曲线;第二次不加分散剂,将干土放在装一定蒸馏水的过滤纸中,连上真空泵抽气 10min,再把土水混合悬液冲洗到量筒中,加蒸馏水至 100mL,倒转量筒来回摇晃约 30 次/min,使粘土颗粒自行水化分散,求得另一条级配曲线,得出两次粘粒含量(小于 0.005mm),用式(3-1)求得分散度:

$$\text{分散度} = \frac{\text{不加分散剂时} < 0.005\text{mm 颗粒含量}}{\text{加分散剂时} < 0.005\text{mm 颗粒含量}} \times 100\% \quad (3\text{-}1)$$

非分散性土:分散度<30%;

过渡粘土:分散度 30%～50%;

分散性土:分散度＞50%。

4)孔隙水可溶盐试验

把土与蒸馏水拌和到接近液限,再用有过滤设备的真空吸水器抽出孔隙水样,测其钙、镁、钠、钾 4 种金属阳离子总量(称为 TDS),以毫克每升当量计(mg/L),并求其中钠离子百分数。判别标准见图 3-6。

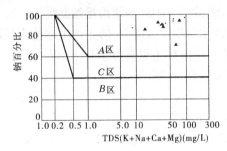

图 3-6 孔隙水可溶盐关系曲线

A 区:分散性土;*B* 区:非分散性土;

C 区:浸蚀缓慢的中间状态土

以上 4 种鉴定方法中,以针孔试验较能真实反映渗流对分散性土的冲蚀情况,比较可靠。

3.分散性土的使用及处理措施

首先应仔细鉴别是否为分散性土,切勿将一般土当做分散性土,其次应结合库水或河水的含盐浓度进行综合考虑,如含盐浓度高,对减轻分散性土的冲蚀有利。一般尽量不用分散性土,如因当地缺其他土料而不得不用,经进行处理并在设计及施工方面采取措施,也可保证安全。有关措施包括以下方面。

(1)改变土的性质。在分散性土中掺加 1%～3% 的石灰(消石灰 $Ca(OH)_2$ 或生石灰 CaO),将分散性土改造为非分散性土,达到改性目的。

（2）设置反滤保护。目前尚缺分散性土反滤的设计标准,其级配及厚度均应通过试验确定。初步认为可利用细砂作反滤,保护分散性土。

（3）接触面处理。在分散性土与基岩、混凝土建筑物及两岸岩石岸坡连接处容易产生集中渗流,应设法在接触面填筑厚约 1m 的一般粘性土(甚至不惜外运)。

（4）仔细处理与分散性土接触的基岩表面裂隙,用水泥浆或喷混凝土进行封闭,或结合固结灌浆沿接触面浇筑一层混凝土盖板,使通过基岩的渗水与填土分隔开,防止产生冲蚀或接触冲刷。

（5）如当地有一般性土也有分散性土,但一般性土储量不够,必须部分采用分散性土,则进行断面设计时,应尽量将分散性土填在浸润线以外的干燥区。

（6）注意保护分散性土表面,防止产生裂缝。

（7）分散性土对含水量反应灵敏,稍偏离最优含水量,其干密度及渗透系数都有较大变化。宜在分散性土的含水量十分接近最优含水量时将填土压实,并使其有足够柔性,防止因不均匀沉降产生裂缝,成为渗水通道,加快其分散。

二、砂石透水料

砂石透水料包括砂、砂砾、石渣、堆石等,为重要的筑坝材料,主要作用为支撑防渗体并排水,用于填筑透水坝壳、上下游护坡及反滤层等。砂石透水料应满足强度和排水要求,其渗透性至少大于防渗体 50 倍以上,经过压实后应具有低压缩性。砂石透水料主要来自近代河床冲积层、两岸阶地覆盖层、建筑物地基开挖以及专用石料场等。

（一）砂

砂料常用做透水料及反滤料,以中粗砂比较理想,均匀粉细砂不易压实,且容易产生振动液化,降低或丧失抗剪强度,使坝坡失稳,因此尽量不用粉细砂筑坝,在地震区尤其如此。如不得不用粉细砂,应采取一定工程措施,如用在下游透水坝壳浸润线以上的干燥区,加大压实功能,使之碾压密实,设置卵砾石、堆石等透水压盖,做好排水反滤等。

砂料的粉、粘粒含量通常不要大于 10%,否则将使透水性减少,不宜用做透水料,而且对填筑含水量比较敏感,施工时由于运土车辆往返,容易产生弹簧现象。如砂料用做反滤料,要求含泥量(小于 0.075mm)不大于 5%,不仅为了防止淤堵反滤,也为了避免运行期排渗时出现浑水,容易被误认为防渗体发生管涌破坏,给大坝管理带来麻烦。

砂料渗透系数通常为 $10^{-2} \sim 10^{-4}$cm/s,以 $i \times 10^{-3}$cm/s 为常见,设计采用的内摩擦角一般为 $28° \sim 33°$。

(二)砂砾

砂砾也是最常用的透水料,将天然砂砾进行筛分,成为反滤料的主要来源。从压实及渗流稳定来看,级配连续、不均匀系数大于 25 左右比较理想,但近代河流砂砾冲积层经常是缺乏中间粒径(一般是 $1 \sim 5$mm),也可用做透水料。

砂砾料的物理力学指标与其级配中大于 5mm 的粗粒含量 P_5 有较大关系,通常当 P_5 为 60% 左右时,达到最大压实干密度。当 $P_5 < 60\%$ 时,渗透系数变化不大,一般为 $10^{-2} \sim 10^{-3}$cm/s;当 $P_5 > 60\%$ 时,因细料量少,在粗料所形成的孔隙中填不密实,出现粗粒架空现象,渗透性增大,渗透系数可达 $i \times 10^{-2} \sim i \times 10^{-1}$cm/s,但是由于细粒在渗流作用下,易在粗粒所形成的孔隙中移动,因此其临界渗透比降较 $P_5 < 50\% \sim 60\%$ 时有所下降。

砂砾料含泥量(小于 0.075mm)与其一些物理力学指标也有密切关系。有些试验资料表明:如含泥量小于 5%,其渗透系数大于 10^{-2}cm/s;而当含泥量达 $10\% \sim 15\%$ 时,其渗透系数可能降至 $10^{-3} \sim 10^{-4}$cm/s,同时由于小于 0.075mm 的土粒易被渗流带走,临界渗透比降也因而降低。此外,当含泥量超过 10％时,抗剪强度有所降低,湿陷性略增。综合上述,砂砾料含泥量最好不超过 10％,如超过,不是不能用,而是设计时要考虑改变砂砾料的某些物理力学性能指标,如降低透水性和抗剪强度等,甚至向砾石土过渡。设计坝体断面时要采取相应结构措施。例如:当利用含泥量偏高的砂砾料作为心墙坝上下游坝壳时,要考虑库水位下降时,上游坝壳孔隙水排除缓慢,对上游坝坡稳定不利影响而采用缓一些的坝坡;还要考虑因含泥量高,降低透水性,抬高了下游坝壳浸润线,对下游坝坡稳定的不利影响,应采取放缓坝坡,或沿下游坝壳与心墙及坝基接触面铺设专用排水体,以增加透水性,使排水通畅并降低浸润线。

砂砾料的渗透破坏型式以及允许水力比降等都同级配有关系,一些研究认为,对于连续级配砂砾料,如细料(一般为 $2\sim 5mm$)含量 $P_z>35\%$ 为流土,如 $P_z<35\%$,则按不均匀系数 $C_u=\dfrac{d_{60}}{d_{10}}$($d_{60}$ 和 d_{10} 分别为小于该粒径的土重占总重为 60％及 10％)来划分,如 $C_u<10$,主要破坏形式为流土,$C_u>20$ 破坏型式为管涌,$10<C_u<20$ 为过渡型。关于允许渗透比降,对于流土型一般采用 $0.25\sim 0.8$,过渡型采用 $0.25\sim 0.4$,管涌型采用 $0.1\sim 0.25$(详见第 6 章表 6-1)。以上只供选择砂砾料时参考,对于重要工程,应该通过渗流试验确定渗流破坏型式及允许渗透比降。

砂砾料的抗剪强度同压实度及级配有关。有些试验表明,当砂砾料大于 5mm 的粗粒含量 $P_5<60\%\sim 70\%$ 时,抗剪强度随 P_5 增大而提高,到 $P_5=60\%\sim 70\%$ 时,抗剪强度达最大值,P_5 超过 60％～70％后,略有降低。已有工程设计采用的砂砾料内摩擦角范围为 $34°\sim 38°$。

(三)石料

石料被广泛用于填筑土石坝的透水坝壳。以往大都采用厚层抛筑,辅以高压水枪冲击,对石料要求较高,如新鲜坚硬,湿抗压强度不小于40MPa,软化系数不小于0.8,大小比较均匀,以防抛填时粗细分离,要求最大最小边长不超过3~4,避免在自重作用下折断,增加沉降变形;为使孔隙率最小,石料中应含一定比例的细料等。由于抛填法施工的石料不密实,蓄水后沉陷比较大,经常导致防渗体开裂。

20世纪60年代以后,改用重型振动碾分薄层(层厚0.6~1.5m)压实石料,大大提高堆石干密度,从而提高其抗剪强度,降低其压缩性,使物理力学性能指标大为改善,并放宽对石料要求,从新鲜坚硬岩石到风化岩石以及湿抗压强度不到150MPa的软岩(如页岩、板岩等)都可以用,级配范围变宽。据统计,国内外26座土石坝坝体石料级配范围如图3-7,可供设计选用石料时参考。由于放宽了对石料的要求,使石料来源也变得更为宽广,不仅可取自专用石料场,还可充分利用枢纽建筑物(如溢洪道、隧洞厂房等)基坑开挖出来的石渣上坝,使造价降低。

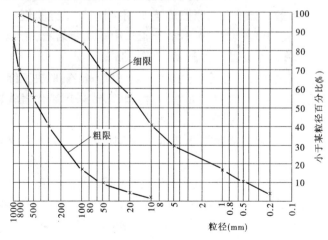

图3-7 国内外26座土石坝石料级配范围

石料级配大半为连续的,与本身结构、裂隙状况及开采方法有关,可通过爆破试验取得设计要求的级配。如作为透水料,一般希望细料(小于 5mm)含量不超过 30%,含泥量(小于 0.075mm)不超过 5%。

堆石的沉降变形取决于碾压干密度,采用重型振动碾压实的堆石比较密实,其沉降变形仅为抛填法的 20%~30%,完工后沉降量一般不超过坝高的 0.1%~0.2%。

堆石愈密实,抗剪强度愈高。堆石中的细料及含泥量增加,抗剪强度降低。有试验表明,如果堆石中细料含量超过 30%,则堆石抗剪强度降低较显著。试验证实,堆石的抗剪强度为非线性,其内摩擦角并非定值,是随法向应力增大而减小。有试验表明:当法向应力超过 2~2.5MPa 后,内摩擦角减小不明显,渐趋稳定。堆石被水饱和后的抗剪强度略低于干燥状态的抗剪强度。对于高坝,应对堆石料进行大型三轴剪力试验以确定其抗剪强度。目前有些规范、导则对堆石的抗剪强度仍用线性,与此相匹配规定了有关的安全系数。如堆石内摩擦角 ϕ 采用线性,以下经验值可供参考:对于压实的坚硬岩石,ϕ 不小于 45°;中等质量岩石,$\phi = 40°\sim 45°$;对于页岩、泥板岩等软岩,$\phi = 25°\sim 35°$。

堆石渗透系数一般为 $i \times 10^{-1} \sim i \times 10^{-2}$cm/s,取决于细料含量、母岩性质和压密程度。如细料含量较多或采用风化岩软岩开挖出来的石渣,压实后渗透系数可小到 $i \times 10^{-3} \sim i \times 10^{-4}$cm/s,虽仍可筑坝,但难以满足透水要求,填在坝体中,需另外采取排水措施。

与新鲜坚硬岩石相比,风化岩和软岩开挖出来的石渣,往往抗剪强度较低,压缩性较高,但经分层碾压密实,其物理力学指标仍能满足筑坝要求,国内采用风化岩或软岩石渣筑坝的资料见表 3-4。

利用石料筑坝,设计时应注意如下几点:

(1)护坡或人工轧制反滤料所采用的石料要求新鲜坚硬,具有

表 3-4

国内石渣筑坝统计

坝名	所在地（省）	坝高（m）	断面型式	石渣母岩	填筑部位	内摩擦角	粘聚力（kPa）	石渣干密度（t/m³）	竣工年份
汤峪	陕西	39.5	粘土斜墙石渣坝	云母石英片岩	上、下游坝壳	25°40′～31°40′	6～22	2.0	—
三岔	四川	35	粘土斜墙石渣坝	泥钙质胶结砂岩及砂质页岩	上、下游坝壳	19°	10	1.92	1976
漳河	湖北	64.5	粘土斜墙石渣坝	泥质砂岩及泥质页岩	下游坝壳	34°～42°	—	1.76～2.05	1961
张家岩	四川	52	粘土斜墙石渣坝	风化页岩	下游坝壳	28°	14	1.65～1.9	1979
石盘	四川	43	粘土心墙石渣坝	强风化砂岩	上、下游过渡层及坝壳	25°～36°	—	1.85	1978
白莲河	湖北	69	粘土心墙石渣坝	花岗岩风化料	上、下游坝壳	36°	—	1.82	1960
富水	湖北	45	粘土心墙石渣坝	风化页岩	下游坝壳	25°	—	—	1964
碧口	甘肃	101	粘土心墙坝壳为多种土质	绢云母石英千枚岩、凝灰岩	上、下游坝体靠近坝坡	30°～32°	—	2.0	1975
柘林	江西	62	粘土心墙石渣坝	风化泥质板岩及砂岩	砂岩填于上游坝壳，泥质板岩填于下游坝壳	23°～28°	5	1.8	1972

较高的抗风化性和抗水性。

（2）在同时利用新鲜坚硬石料和风化或软岩石渣筑坝的情况下，最好按分区原则设计坝体断面，将新鲜坚硬石料填在经常被库水浸泡的上游坝壳，以及防渗体上游侧和下游坝壳的下部，以利排水；而将强度较低、透水性较小的风化或软岩石渣配置在坝体下游坝壳浸润线以上的干燥区。

（3）当坝壳全部用风化或软岩石渣填筑时，要考虑到因透水性降低而带来的不利影响。例如：填在上游坝壳时，要考虑由于库水下降，石渣排水滞后而对上游坝坡稳定产生的不利影响；填在下游坝壳要考虑由于排水不畅而抬高浸润线等，要研究相应对策，如在上下游坝壳中设置内部排水，适当放缓坝坡等。

（4）为防止软岩石料填入坝体后进一步风化，可在坝面填一层厚约 1m 的新鲜坚硬石料予以保护。

（5）要考虑到风化或软岩石料被碾压机具压碎后级配变细，会导致物理力学性质改变。

第二节　填筑标准

一、概　述

筑坝材料填入坝体后应用碾压机具进行压实，达到设计要求的干密度，使之具有足够的抗剪强度，满足坝坡稳定要求，具有较低的压缩性，使竣工后沉降量控制在允许范围内，避免坝体产生裂缝。对防渗土料，还要求压实后具有较小的透水性，满足防渗要求。对各种筑坝材料规定适宜的填筑标准，是土石坝设计的一个重要内容。由于设计比施工先行，通常先通过室内击实试验、公式计算、已成工程类比等方法确定筑坝材料的干密度，依此制备土样，进行抗剪、固结和渗透等试验，据此选定筑坝材料的抗剪强度、压缩系数、渗透系数等物理力学性指标，以便进行坝坡稳定、坝体沉降、坝体渗流等土石坝的主要计算工作。待施工阶段，在填筑之前，一般先进行碾压试验，论证设计所规定的填筑标准的合理性，以及采用的碾压机具的适宜性和为达到设计规定的干密度所应选用的碾压参数，如铺土厚度、碾压遍数、填土含水量等，供填筑施工控制。

设计者要根据坝型，坝的不同部位，可能采用的碾压机具，筑坝材料的天然含水量、压实特性、干密度与力学性质关系等，通过技术经济比较，并按规范规定，确定填筑标准。譬如对某种土，经室内击实试验确定了压实干密度，后通过碾压试验，发现需要较多的碾压遍数；如稍降低干密度，尽管由于抗剪强度降低使坝坡变缓，坝体填筑量增加，但却简化了碾压工序，节省投资，缩短工期，经过经济比较，如认为是有利的，就应该适当降低填筑标准。当然，干密度降低的幅度必须满足规范规定，并使压实后填土的压缩性和渗透性控制在技术可行范围内，不至于使坝体产生较大的沉降导致裂缝，也不会发生较大的渗漏。

二、各种筑坝材料的填筑标准

(一)粘性土

其范围包括除砾石以外的粘性土料。确定填筑标准就是规定填筑的干密度和上坝土料的含水量。选择有代表性的土样，用标准击实仪(其功能为 $60t \cdot m/m^3$)按《土工试验规程》(SD128—84)中击实度试验(SD128—011—84)规定的办法，进行击实试验，求得最大干密度和最优含水量。填筑干密度 γ_d 采用最大干密度乘以压实系数，见式3-2：

$$\gamma_d = m \times (\gamma_d)_{max} \qquad (3-2)$$

式中　γ_d——设计填筑干密度；

$(\gamma_d)_{max}$——最大干密度(多组击实试验平均)；

m——压实系数。

m 值对于 1、2 级坝及高坝不低于 $0.98 \sim 1.00$,对 3 级及以下坝(高坝除外)不低于 $0.96 \sim 0.98$。上坝土料含水量与最优含水量(多组试验平均)的偏差不超过 $\pm (2 \sim 3)\%$。

工程实践证明,上述标准击实仪的击实功能大体代表了常用的碾压机具在一般经济合理范围内的现场碾压功能,是现实可行的。这种室内击实功能适用于各种粘性土,但还需要经过野外碾压试验校核设计填筑干密度。对于 1、2 级坝及高坝,当使用土料性质特殊时,应进行专门的室内击实试验,改变击实功能,并进行相应的碾压试验,论证其填筑标准。

击实试验结果见图 3-8。针对某一种击实功能(如标准击实功能),不同含水量有不同干密度,与最大干密度 $(\gamma_d)_{max}$ 相对应的为最优含水量 W_{op}。由图 3-8 可见,含水量与干密度关系密切,对于粘性土,设计者应十分注意其天然含水量情况,根据筑坝材料调查,分析天然含水量沿平面和沿深度分布及随气候变化情况,研究减少或增加天然含水量的处理措施,使之满足上坝含水量要求。有时如由于处理费用昂贵不经济,对于中小型土石坝可以适当降低填筑干密度(如图 3-8 中的 γ_1),而稍放松上坝含水量要求(如图 3-8,W_1 及 W_1' 与 W_{op} 偏差大于 $\pm (2 \sim 3)\%$),但应考虑到可能对填土的抗剪强度、压缩性、透水性等产生的不利影响,以及含水量偏干蓄水后产生湿陷,偏湿在碾压时易出现弹簧土和增加施工期孔隙压力等问题,并采取相应措施。总之,应通过技术经济比较,确定可否适当放松上坝土料含水量问题。

(二)砾石土

砾石土含有砾石(大于 5mm)及细料(小于 5mm)。砾石土的压实干密度与大于 5mm 的砾石含量 P 关系密切,如 P 小于 $30\% \sim 40\%$,以细料为主体,砾石充填其中,干密度随砾石含量增加而增加,细料通常可碾压到在无砾石情况下相应于标准压实功能的

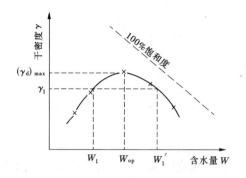

图 3-8　干密度～含水量关系

最大干密度。当 P 大于 $30\% \sim 40\%$ 但小于 60% 时,砾石已起骨架作用,使充填其中的细料压不到上述最大干密度。因此,砾石土的干密度虽然还随砾石含量 P 增加而增加,但增幅减少,一般当 $P \approx 60\%$ 时达到最大干密度。当 $P > 60\%$ 时,细料不足以填紧砾石所形成的孔隙,随砾石含量增加,干密度反而下降,透水性也随之增大,其示意见图 3-9。

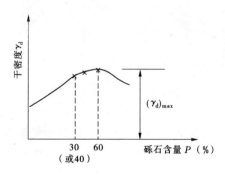

图 3-9

确定砾石土压实干密度有如下两种方法。

1. 大型击实试验

最好采用大型击实仪直接对砾石土进行击实试验。相应于不同击实功能(击数)和不同砾石含量的击实曲线见图 3-10。实际运用时可用下述方法固定击实功能:先将砾石土中的细粒以标准击实仪(击实功能 60t·m/m³)进行击实试验,得出细料的最大干密度$(\gamma_d)_{max}$和最优含水量 W_{op},再用大型击实仪对细料进行试验,可得击实功能与细料最大干密度与最优含水量的关系。以接近于以上$(\gamma_d)_{max}$及 W_{op}的击实功能(击数)作为大型击实仪击实砾石土的击实功能。对不同砾石含量进行试验后可整理出相应于不同砾石含量的最大干密度及最优含水量见图 3-11,取多组平均最大干密度乘与以上粘性土相同的压实系数 m,得相应于不同砾石含量的填筑干密度,上坝砾石土含水量应控制在多组平均最优含水量附近。

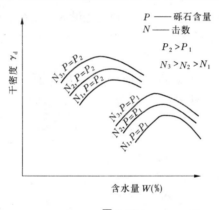

图 3-10

砾石土全级配料的含水量 W'_0 与其中细料含水量 W_0 成直线关系,见图 3-12,施工时可通过测定细料含水量来控制全级配料含水量。

2. 公式计算

如果没有大型击实仪,可用公式计算。先用标准击实仪对细料进行试验,得到最大干密度和最优含水量,再用式(3-3)~式(3-6)换算成不同砾石含量的砾石最大干密度和最优含水量。

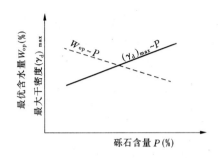

图 3-11

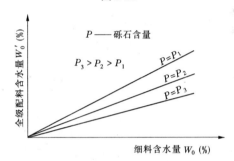

图 3-12

1)当砾石含量小于 40%

$$(\gamma_d)'_{max} = \cfrac{1}{\cfrac{P}{\Delta_S} + \cfrac{1-P}{(\gamma_d)_{max}}} \qquad (3\text{-}3)$$

$$W'_{op} = W_{op}(1-P) + W_A P \qquad (3\text{-}4)$$

式中 $(\gamma_d)'_{max}$——砾石土的最大干密度(砾石含量 $P < 40\%$ 的情况);

P——大于 5mm 的砾石含量(以小数计);

Δ_S——大于 5mm 的砾石密度,即砾石实体的单位体积质量;

$(\gamma_d)_{max}$——小于 5mm 的细料最大干密度;

W'_{op}——砾质土最优含水量;

W_{op}——小于 5mm 的细料的最优含水量；

W_A——大于 5mm 的砾石含水量。

2）当砾石含量大于 40%

$$(\gamma_d)''_{max} = (\gamma_d)'_{max} - \Delta\gamma_d \qquad (3-5)$$

$$W''_{op} = W'_{op} + W_A\Delta P \qquad (3-6)$$

式中　$(\gamma_d)'_{max}$——用式(3-3)算出的砾石土最大干密度；

W''_{op}——砾石含量大于 40% 的改正后含水量；

W'_{op}——用式(3-4)算得的砾石土含水量；

W_A——大于 5mm 的砾石含水量；

ΔP——超过 40% 的砾石含量（即将实际砾石含量减 40%）；

$(\gamma_d)''_{max}$——砾石含量超过 40%，经修正后的砾石土干密度；

$\Delta\gamma_d$——干密度改正值，用下述方法求得。

求 $\Delta\gamma_d$ 的方法步骤：

(1)用振动法求砾石含量 P 为 100% 时的最大干密度 γ_d，并标于图 3-13 上 A 点。

(2)将砾石密度值标于图 3-13 上 B 点。

(3)将密度和最大干密度差值标于图中 C 点(即 C 的纵坐标值等于图 3-13 上 BA)。

(4)用式(3-7)计算相应于砾石土最大干密度时砾石含量 P_B 并标于图中 D 点：

$$P_B = \frac{0.9t + 0.1\gamma}{0.9t + \gamma} \qquad (3-7)$$

$$t = \frac{1}{(\gamma_d)_{max}} - \frac{1}{(\Delta_S)_0}$$

$$\gamma = \frac{1}{\gamma_{d_1}} - \frac{1}{\Delta_S}$$

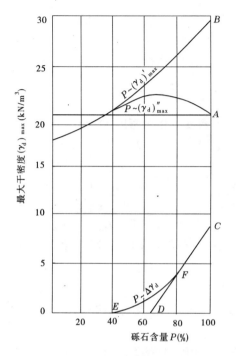

图 3-13

式中　$(\Delta_S)_0$——小于 5mm 的细料密度；

　　　γ_{d_1}——砾石含量 P 为 100%时的最大干密度；

　　　$(\gamma_d)_{max}$ 及 Δ_S 意义见式(3-3)。

(5)将 CD 连成直线,作经过点 E(如图 3-13 横坐标上 $P=$ 40%的点)并切于 CD 线的曲线交 CD 线于 F 点,则 CFE 就是 P $\sim\Delta\gamma_d$ 曲线,其纵坐标即为当砾石含量 P 超过 40%之后,相应于不同砾石含量 P 的干密度改正值 $\Delta\gamma_d$。

(6)直接绘制砾石量 P 与修正后砾石含量大于 40%的砾石干密度 $(\gamma_d)''_{max}$ 之间的关系曲线,办法如下:用式(3-3)绘得 $P\sim$ $(\gamma_d)'_{max}$ 关系曲线,见图 3-13,将该曲线上各点的纵坐标值减去 P

$\sim \Delta \gamma_d$ 曲线上相应各点的纵坐标,得相应的点,连起来即得 $P \sim (\gamma_d)''_{max}$ 关系曲线,见图 3-13。这样可求得当砾石含量 P 超过 40% 之后,相应于任何砾石含量 P,经修正后的砾石土干密度 $(\gamma_d)''_{max}$。

(三)砂

砂的填筑干密度由相对密度 D_r 确定。先定 D_r 后换算成填筑干密度,见式(3-8)~式(3-9)。

$$D_r = \frac{e_{max} - e}{e_{max} - e_{min}} \tag{3-8}$$

$$\gamma_d = \frac{\gamma_{max} \cdot \gamma_{min}}{(1 - D_r)\gamma_{max} + D_r \gamma_{min}} \tag{3-9}$$

式中　e_{max}、e_{min}——由相对密度试验得出的砂的最大孔隙比及最小孔隙比;

e——砂的孔隙比;

γ_{max}、γ_{min}——与 e_{min} 及 e_{max} 相对应的砂的最大及最小干密度;

γ_d——砂的填筑干密度。

关于相对密度 D_r,如无抗震要求,D_r 可采用 0.7,如有抗震要求,在浸润线以上的砂,D_r 采用 0.75,在浸润线以下的砂,针对设计烈度为 7 度、8 度及 9 度,D_r 可分别采用 0.75、0.8 及 0.85,再按照相对密度试验得出的最大及最小干密度 γ_{max}、γ_{min},代入式(3-9),求得砂的填筑干密度。

(四)砂砾料

砂砾料的干密度与大于 5mm 的砾石含量 P 有关。当 P 小于 30%~40%,砂砾料以小于 5mm 的细料为主体,砾石充填其中(即砂包砾),此时细料能压得最紧密,干密度随砾石含量 P 增加而增加;当 P 大于 30%~40% 但小于 60% 时,虽然砂砾料干密度仍随砾石含量 P 增加而增加,但由于砾石已起骨架作用,充填其中的

细料压不到如 P 小于 60% 那样紧密,故干密度增幅逐渐变小;待 P 达到 60% 左右,可达到砂砾料干密度的最大值;当 P 大于 60%,细料填不紧,形成砾石架空现象,干密度反随砾石含量增加而有所下降。

对于砂砾料的填筑标准如无抗震要求,D_r 不小于 0.75;如有抗震要求,D_r 取值与砂料相同,可通过大型击实试验得不同砾石含量的砂砾料干密度,也可对不同砾石含量的砂砾料用振动台进行大型相对密度试验得出不同砾石含量的最大和最小干密度,用(三)确定砂填筑标准的相同办法来寻求相应于不同相对密度 D_r 的砂砾料干密度。在实际运用时,应根据上述试验结果,整理出砾石含量 P~干密度 γ_d~相对密度 D_r 之间的关系,在填筑现场挖坑取样,根据砾石含量 P、干密度 γ_d 查出相对密度 D_r,看是否满足要求。

如果只具备对小于 5mm 的细料进行相对密度试验的手段,也可以通过式(3-10)及式(3-11)求砂砾料的填筑干密度。

1. 砾石含量 $P \leqslant 40\%$

$$\gamma'_d = \frac{\gamma_d \cdot \Delta_S}{\gamma_d \cdot P + \Delta_S(1 - P)} \qquad (3\text{-}10)$$

式中　γ'_d——砂砾料填筑干密度;

　　　γ_d——小于 5mm 的细料(砂料)的填筑干密度,根据要求的相对密度 D_r 用式(3-9)求得;

　　　Δ_S——砾石密度。

2. 砾石含量 $P > 40\%$

$$\gamma'_d = \frac{\gamma_d \cdot \Delta_S}{\gamma_d \cdot P + \Delta_S(1 - P)} - \Delta\gamma_d \qquad (3\text{-}11)$$

式中,$\Delta\gamma_d$ 为砾石含量超过 40% 后的干密度修正值,超过愈多,修正值愈大,可参照已有工程确定,其余符号同上。

在缺乏试验资料的情况下,可根据表 3-5 初步选定砂砾料的填筑干密度。

表 3-5   **不同砾石含量砂砾料干密度**

砾石含量 P（%）	40	45	50	55	60	70
干密度 γ_d（t/m³）	2.03～2.05	2.05～2.07	2.08～2.10	2.11～2.13	2.13～2.15	2.15～2.17

（五）堆石

堆石的填筑标准通常以孔隙率控制,可按已有工程的经验采用 20%～28%,并根据在坝内的不同部位区别对待,如直接位于土质斜墙下面的堆石孔隙率,应要求小些,使之密实以减少沉降,避免招致土质斜墙开裂。施工前应进行碾压试验,施工时主要以施工参数控制填筑标准,如碾压机具型号、振动频率及重量、铺土厚度、加水量、碾压遍数等,同时辅以必要的干密度复核控制。

第四章 坝基处理、防渗体与岸坡及混凝土建筑物的连接

应做好土石坝坝基处理以及土石坝同岸坡和混凝土建筑物的连接设计,使蓄水后不致产生超过允许值的渗流量,不会引起管涌、流土、接触冲刷等渗透破坏,也不会因不均匀沉降导致坝体开裂,以确保土石坝安全运行。

第一节 岩石地基

有些土石坝的土质防渗体直接位于岩基上,或坝体虽落在砂砾覆盖层上,但通过与防渗体相连且切穿砂砾覆盖层的土质截水槽同岩基相连。由于岩石软硬不同,存在不同程度的风化、节理裂隙、断层破碎带、软弱夹层和岩溶现象等,都需要进行处理,以保证土质防渗体与岩基结合面以及岩基本身的渗透稳定。本节主要为岩石地基的防渗处理。

一、处理好与基岩结合面

清除与土质防渗体相结合的基岩面的松动岩石、碎屑及易冲物质,用风镐或小爆破清除明显的岩石尖角、凸脊,用混凝土填平局部凹塘,使结合面大体平整;用水泥砂浆填塞大的缝隙,进行喷浆或涂粘土浆,以利于基岩与第一层填土的结合。

以往常沿基岩与坝体接触面设混凝土齿墙,以延长沿接触面的渗径。但近年来已经少用,因为齿墙周围填土不能用大型机械

压实,必须用人工夯仔细夯压,增加工序,给施工增加麻烦,并影响施工进度,不如采取沿与基岩接触面把薄的防渗体(薄心墙、薄斜墙等)适当加厚(图4-1),延长接触渗径,以代替混凝土齿墙。

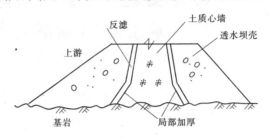

图 4-1

如风化及裂隙发育的岩层不太深,也可开挖截水槽切断该层岩石,直达新鲜完整岩石,截水槽用土回填,与土质防渗体相接。应沿截水槽下游坡岩面及防渗体与基岩接触面喷混凝土(如缝隙较大,应在喷前先用水泥砂浆堵缝),也可浇混凝土板,使填土与岩石隔开,避免填土在渗流作用下,向岩石缝隙中流失造成管涌(见图4-2)。如美国提堂坝在右岸岸坡裂隙发育、透水性强的岩基内挖了截水槽,回填土料,但未对其下游坡面岩石裂隙节理进行封闭处理,使填土在渗水作用下向裂隙流失,从下游岸坡流走,形成管涌破坏,导致垮坝失事。

如防渗体与软岩相连结,软岩开挖后暴露在空气中,可能迅速崩解或进一步软化,则应要求随挖随即填土,否则应预留保护层5~10 cm,待填土时边挖边填,或挖至设计高程时立即喷水泥砂浆保护。

二、灌浆

如坝基岩石在较深范围内节理裂隙发育,透水性大,开挖处理不经济,一般采用帷幕灌浆和固结灌浆处理。

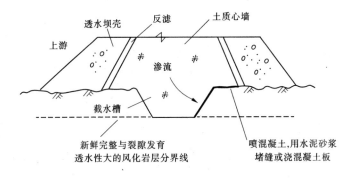

透水坝壳　反滤　土质心墙
上游
渗流
截水槽
新鲜完整与裂隙发育
透水性大的风化岩层分界线
喷混凝土,用水泥砂浆
堵缝或浇混凝土板

图 4-2

(一)帷幕灌浆

如岩石缝隙大于 0.15～0.25 mm,且地下水流速小于 600 m/d,可用水泥灌浆。如缝隙小于 0.15 mm,可用化学灌浆或超细水泥灌浆。如地下水流速大于 600 m/d,可在浆液中加速凝剂或采用化学灌浆。帷幕应深入相对不透水岩层 3～5 m。相对不透水岩层标准:对于Ⅰ、Ⅱ级坝及高坝,透水率不大于 3～5 Lu,Ⅲ级及以下坝,透水率不大于 5～10 Lu。因此,设计灌浆帷幕之前,应根据地勘压水试验资料绘制水文地质剖面图,圈划相对不透水层范围。如相对不透水层埋藏太深,或者其分布没有规律,则帷幕深度可根据渗流控制要求,针对具体工程通过估算和类比确定,一般采用 $H/3 \sim 2H/3$,平均 $H/2$,H 为上下游水头差。帷幕可向两岸延伸至相对不透水层,或库水位与建库前地下水位相交处,以形成封闭的防渗线。如按以上原则确定的帷幕线太长,亦可通过三向绕流计算,在满足渗流量和渗透比降不超过允许值的前提下,适当缩短帷幕向两岸延伸的长度。

灌浆帷幕与土石坝的土质防渗体共同组成大坝的防渗屏障。应根据大坝基岩的地勘资料优选帷幕线,如选在风化及相对不透水层比较浅、岩层裂隙节理相对不太发育的地段;以尽量大的交角跨越顺河向构造(如断层)等。因此,选择坝轴线不仅取决于地形条件,使坝体填方最少,还与优选帷幕线有关,必须综合考虑。此外,帷幕线在坝体中的位置,对均质坝来说,一般离上游坝脚为1/2～1/3坝底宽。帷幕孔最好以大的角度同主裂隙面相交,并希望一孔能同时穿越多组裂隙,为此,有时需要布置斜孔。

帷幕孔通常1～3排,按梅花形分布,孔排距1～3 m,由灌浆试验确定。采用分序灌浆,第一序较稀,再逐渐加密,压力也逐渐加大。灌浆结束后再打大约相当于灌浆孔10%的检查孔进行压水试验检查,如不合格,通过检查孔续灌。

帷幕厚由上下游水头差及幕体的允许渗透比降而定。允许渗透比降可采用15～25,幕厚与孔排距的关系可按下述方法粗估:对单排孔取0.7～0.8倍孔距,对多排孔取两边排距离加0.6～0.7倍孔距。应指出,幕厚取决于浆液在基岩中穿行延伸的范围,不仅取决于排数和孔排距,更主要还取决于裂隙大小、分布、灌浆与裂隙交切情况,裂隙有无充填物及其透水性,以及灌浆压力和浆材性质等。而且帷幕并非等厚,幕体允许水力比降也难以定量,因此以上确定幕厚的办法只是粗估,设计者应针对每一工程,具体分析以上情况,通过灌浆试验和类比决定。目前,有些工程师倾向于采用单排灌浆,但孔距密一些,如采用1～1.5 m,认为这样反能更好地拦截基岩裂隙,保证幕厚和幕体连续性。

关于帷幕灌浆压力,一般以不使上覆岩石抬动为原则,影响因素很多,如岩石性状、灌浆深度、灌浆方法等,很难给出可靠的定量数值作为遵循依据。通常先根据计算或经验,初步确定灌浆压力,再通过试验,视岩层吸浆及岩面变形情况,对压力进行调整确定。在忽略盖重情况下,可用式(4-1)初步确定灌浆压力:

$$P = P_0 + mh \tag{4-1}$$

式中　P——灌浆压力,MPa;

　　　P_0——表层灌浆允许压力,MPa;

m——灌浆段顶板以上岩石每加厚 1 m 所增加灌浆压力，MPa；

h——灌浆段顶板以上岩石厚，m。

以上 P_0 及 m 值可参照表 4-1。

表 4-1　　　　　　　　　　　　m 及 P_0 选用表

岩石分类	岩　　　　　性	m（MPa）	P_0（MPa）
I	具有陡裂隙、低透水性、坚固大块结晶岩及岩浆岩	0.2~0.5	0.3~0.5
II	风化的中等坚固块状结晶岩、变质岩或大块体、裂隙弱的沉积岩石	0.1~0.2	0.2~0.3
III	坚固的半岩性岩石、砂岩、粘土页岩、凝灰岩、强或中等裂隙的成层岩浆岩	0.05~0.1	0.15~0.2
IV	不很坚硬的半岩性岩石、软质石灰岩、胶结弱的砂岩及泥灰岩、较坚固但裂隙发育的岩石	0.025~0.05	0.05~0.15

注：采用自下而上逐段灌浆时，m 值选用范围内的较小值。

初步确定灌浆压力后再钻孔，用稀浆在孔内不同深度处进行分段灌浆试验，整理成果如图 4-3。在灌浆压力小于临界值时，吸浆率基本与灌浆压力成正比，超过临界灌浆压力后，吸浆率突增说明灌浆压力过大，岩石裂隙扩大或增加新裂隙。求得临界灌浆压力可

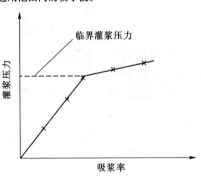

图 4-3　求临界灌浆压力示意

作为选定灌浆压力的主要参数，一般要求灌浆压力低于临界灌浆压力。灌浆所用浆材、水灰比、浆液逐渐变浓的规定以及灌浆结束的标准等均可参阅《水工建筑物水泥灌浆施工技术规范》(SL62—94)。

应做好帷幕与土质防渗体连接,可在两者接触面浇厚 0.5～1.2 m,沿上下游方向宽 2～4 m 的混凝土盖板,再在板下灌浆,这样既便于防渗体与帷幕结合,又使灌帷幕表层时能够承受灌浆压力,为此,必要时可设锚筋将盖板锚在基岩上,以增加表层灌浆压力。在盖板两侧,沿土质防渗体与基岩接触面喷 5～10 cm 厚混凝土或水泥砂浆将基岩表面封闭,使基岩裂隙与填土隔开(图 4-4),其作用在于:

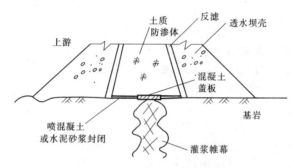

图 4-4　灌浆帷幕与土质防渗体连接示意

(1)延长防渗体底部的接触渗径(因为盖板两侧基岩裂隙发育,封闭前防渗体底部的有效接触渗径仅为盖板宽,封闭之后将增至盖板宽加两侧封闭宽)。

(2)避免沿基岩裂隙的渗流与防渗体填土之间产生接触冲刷。

(3)防止帷幕灌浆时从盖板两侧基岩面冒浆,可以增加表层帷幕厚。

以往为了延长防渗体底部接触渗径,多在上述混凝土盖板上设置垂直混凝土止水墙,这将影响大面积机械化填土,也难保证止水墙两侧填土密实度,近来已少采用。但在防渗体底部与基岩接触面修钢筋混凝土廊道,再通过廊道对基岩进行帷幕灌浆,国内外均有实例。廊道或半嵌入基岩、半伸入填土,或全部伸入填土中,仅基础落在基岩上。设廊道进行帷幕灌浆的优点是:灌浆与填土同时进行,争取工期;可利用填土作为压重,增加灌浆压力;蓄水期如有必要可通过廊道对岩基进行补强灌浆。但当廊道部分嵌入基岩时,应采用小爆破进行开挖,尽量少破坏基岩。

(二)固结灌浆

如帷幕两侧防渗体下面基岩比较破碎,裂隙发育,除设灌浆帷幕外,可对帷幕两侧基岩进行固结灌浆,以提高基岩完整性。固结灌浆孔排距3~5 m,深度5~10 m,梅花形分布,逐渐加密,在有混凝土盖板时灌浆压力0.2~0.5 MPa,通过灌浆试验确定。固结灌浆标准可与帷幕灌浆相同,灌后也要进行质量检查,检查孔数量不少于固结灌浆孔数的5%。

(三)关于软岩的表层灌浆压力

通过盖板对软岩进行帷幕或固结灌浆时,由于盖板与软岩间胶结远不如与硬岩间胶结。沿盖板与基岩间留有相对多一些空隙,承受灌浆压力的面积也相对大一些,因此表层灌浆压力应小一些,否则易使盖板上抬或开裂,一些工程都有类似经验教训,应引以为戒,最好先用浓浆低压封堵接触面空隙,然后再提高灌浆压力。

三、软弱带的处理

土石坝防渗体或截水槽经常与基岩软弱带(如断层破碎带、软弱夹层等)相交。软弱带通常由碎岩、砂、壤土或粘土等组成,其强度低,变形量大,渗透稳定性差,显然不如两侧岩体,应进行处理。由于土石坝对地基承载力要求比混凝土坝低,因此处理重点应放在保证其渗透稳定,使水库蓄水后不至于沿软弱带产生机械管涌和化学溶滤。首先,应通过地勘工作查明软弱带组成、规模、倾角、走向等,进行试验取得如下一些物理力学性指标:级配、天然密度、抗剪、压缩性、透水性、破坏渗透比降和矿化成分等,之后采取以下一些工程措施:

(1)开挖:如软弱带不深,可将其挖除,直达较完整岩石,再用混凝土或粘土回填。

(2)竖井:如软弱带为陡倾角,延伸较深,且组成为土质,可灌性比较差,难用灌浆处理,可在软弱带中开挖竖井(图 4-5),回填混凝土,形成一道板桩,以延长沿软弱带渗径,所需竖井深度由渗流稳定计算确定。

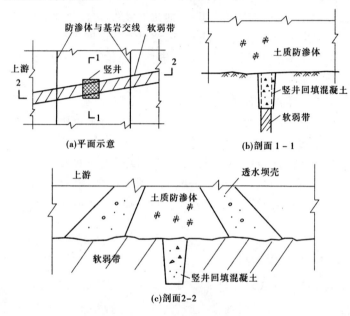

(a)平面示意

(b)剖面 1－1

(c)剖面2－2

图 4-5　竖井处理软弱层示意图

(3)混凝土塞加灌浆:如软弱带由破碎岩体、砂等组成,具备灌浆条件,可在防渗体底部帷幕线与软弱带交叉处,将软弱带表层开挖后回填混凝土塞,厚0.8～1.5 m即可,在软弱层倾向的一侧,设扩大混凝土盖板,比混凝土塞薄些。通过混凝土塞和扩大混凝土盖板,对软弱带进行多排群孔灌浆,形成比较宽的帷幕,起板桩作用,延长渗径,使软弱带的渗透比降不超过允许值(图4-6),帷幕

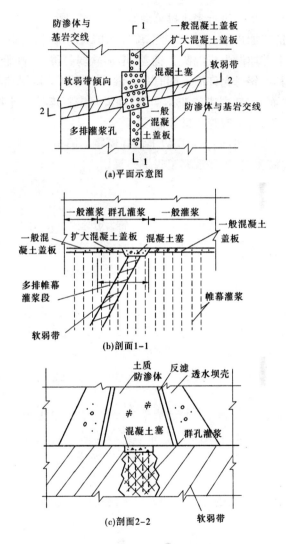

(a)平面示意图

(b)剖面1-1

(c)剖面2-2

图4-6　混凝土塞加灌浆示意

深度由计算确定。混凝土塞及扩大混凝土盖板都与一般混凝土盖板连接,在其下面进行多排帷幕灌浆。

(4)铺盖加排水:在软弱带部位局部扩大防渗体(或截水槽)底宽,或向上游加设土或混凝土铺盖,增加软弱带渗径,降低其渗透比降,使其不超过允许值。同时在防渗体下游侧,沿软弱带与透水坝壳接触面(即软弱带渗流出逸段)铺设一定宽度的反滤料,排渗并保护软弱带,免遭管涌破坏。

(5)综合方法:综合采用以上群孔灌浆加铺盖及排水。在一些软弱带规模大、高坝和重要工程上多采用之。

四、岩溶

凡是碳酸盐类、硫酸盐类岩石,如石灰岩、白云岩、大理岩等,所含可溶盐受到地表水及地下水的溶蚀和溶滤后产生的沟槽、裂缝、溶洞和陷穴,称为岩溶。在岩溶地区修坝建库应进行处理,以免蓄水后引起大量漏水和渗透破坏。

在确定处理方案前,应该通过地勘工作查清岩溶的分布、规模、有无充填物及充填物的组成和物理力学性质等,再针对具体情况采取相应的工程措施。采用如下处理办法:

(1)开挖:对于表面浅层溶洞进行爆破,开挖清除,回填混凝土或粘土予以封闭。

(2)铺盖:对于中低坝,如岩溶不十分发达,又无大溶洞,裂隙分散,可修筑土铺盖,用水泥砂浆填缝或喷混凝土,或铺土工膜,上填土砂保护层进行处理。铺盖应与土质防渗体相接,向上游库区及两岸延伸展布,将岩溶封闭。

(3)堵洞:对大的漏斗形洞或水平洞进行封堵,按反滤原则,由下而上,由里向外回填块石、碎石、砂、土等予以封堵,在表面用干砌或浆砌石保护,也可采用混凝土封堵。

(4)灌浆:适用于埋藏深、不易封堵的岩溶地区,应先查清溶洞分布和相对隔水层,有无充填物及其可灌性。灌浆一般采用 1 排,孔距适当密些,灌浆深度一般为$(1\sim2)H$(H 为水头),灌浆压力一般以 0.5~0.2 MPa 开始,最大 3~5 MPa,甚至 6~8 MPa。

(5)筑墙隔离:采用浆砌石或混凝土建成围墙,将位置较高(但低于最高蓄水位)的溶洞与水库隔开,防止向溶洞漏水。

第二节 土 基

土石坝经常修建在粘土、壤土、砂壤土、砾石土等土基上。要求沿土基的渗流量及渗流出逸渗透比降不超过允许值,筑坝后不会产生过大沉降变形,不会因土基剪切破坏导致土石坝滑坡。应该通过地质勘探查清土基的成因(冲积或坡残积)、分层及空间分布。通过钻孔,分层取位于不同深度的原状土样,进行土工试验,获得如下物理力学性指标:天然干密度及含水量、级配、流塑限、有机质及可溶盐含量、抗剪强度、压缩性、渗透性和破坏渗透比降等,然后进行处理设计。

要做好土基表面清理:挖除树根草皮、表层腐殖土、淤泥、粉细砂、乱石砖瓦等,对水井、泉眼、洞穴、地道、冲沟、凹塘应进行开挖,回填上坝土料并夯实。清基厚度视需要而定,一般为 0.5~1.0 m。沿经过表面清理后的土基与土质防渗体接触面挖若干小槽,用土回填夯实,以利结合。经表面清理后,用碾压机具压实土基表层,加水湿润至适宜含水量,并进行刨毛后,才填筑坝体第一层填土。

土基一般不作防渗处理。如土基透水性较大,可开挖截水槽,以透水性较小的土料回填夯实,与土质防渗体连接,槽底最好位于相对不透水层上,以切断渗流,如相对不透水层埋藏较深,挖槽不经济,只好改用混凝土防渗墙或高压喷射灌浆穿透土基,与相对不透水层相接;也可做成悬挂式截水槽或修建铺盖以延长土基渗径,减少渗流量。在土基与下游透水坝壳接触面,或在下游坝脚以外一定范围内,渗流出逸比降超过允许值的土基表面,都应铺设反滤层。

在土基上的均质土坝,一般要设坝体排水,以降低浸润线,详见第五章第七节。

第三节　砂砾石地基

一、概述

在砂砾石冲积层上修建土石坝国内外都常见,出现质量事故的也不少,因此搞好砂砾石地基处理,保持坝基渗透稳定,确保大坝安全运行,具有重要意义。

通常砂砾坝基的组成可分为均质地基、双层地基和多层地基。均质地基比较简单,其级配和透水性都比较均匀(图 4-7a),一般不会在下游产生承压水。双层地基(图 4-7b)的表层为弱透水层(如粘土、壤土等)、底层为强透水层(如砂卵石、卵砾石等)时,蓄水后因下游渗水出口受阻于弱透水层,便在强透水层中产生承压水,如不采取渗流控制措施,弱透水层可能被承压水顶穿,产生流土破坏。多层地基是指弱透水层和强透水层互成夹层(图 4-7c),蓄水后可能形成几个承压水层,其渗透稳定条件更差。

天然砂砾坝基的组成及其性质对设计渗流控制方案至关重要。首先必须做好地质勘探工作,查明砂砾覆盖层的分层情况、成因、岩性、厚度及各地层在空间的分布规律,进行分层抽水试验,求得各层渗透系数,取各层有代表性的原状样,测定其级配组成和天然容重等。然后,提供沿防渗线和排水线以及垂直于坝轴线的各断面的工程地质和水文地质剖面图。若采用水平防渗方案(如铺盖等),因坝基渗流主要发生在砂砾覆盖层内(图 4-8a),下面基岩影响不大,故主要查清砂砾覆盖层工程地质和水文地质情况即可。若采用垂直防渗方案(如截水槽、混凝土防渗墙等),砂砾覆盖层被

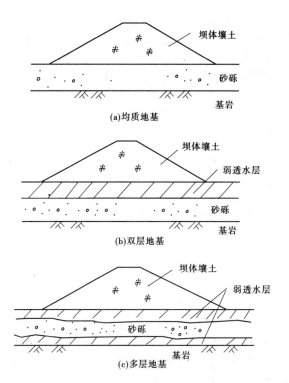

图 4-7 砂砾坝基分层示意

切断,渗流将主要发生在垂直防渗下面的基岩中(图 4-8b)。因此,除砂砾覆盖层外,还必须查清基岩的工程地质和水文地质情况,研究是否需在基岩中设置帷幕灌浆及设置深度,以便与砂砾覆盖层中的垂直防渗连成完整的防渗线。

砂砾石地基一般需同时采取防渗及排渗措施。

二、防渗措施

砂砾坝基一般透水性比较大,存在漏水量大以及发生管涌和流土等渗透稳定问题,需要采取防渗措施,一般有水平及垂直两种

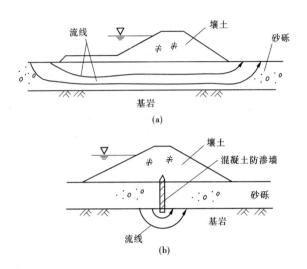

图 4-8　坝体渗流示意图

方案,前者如水平铺盖,用以延长砂砾坝基渗径,适用于组成比较简单的深厚砂砾层上的中低坝;后者如截水槽、混凝土防渗墙、帷幕灌浆等,完全切断砂砾层,防渗最为彻底,适用于多种地层组成的坝基、各种坝高或对坝基渗漏量控制比较严的情况。

(一)水平铺盖

用粘性土筑成,设于上游坝基,与土石坝防渗体相连,以延长砂砾坝基渗径,使渗透比降不超过允许值。水平铺盖配合下游排渗措施,能保证坝基渗流稳定,但在减少坝基渗漏量、防止下游浸没方面的效果,远不如垂直防渗。水平铺盖适用于比较厚、组成比较简单的均质或双层砂砾坝基上的中低坝,而对于组成比较复杂的多层砂砾坝基、高坝,或对控制坝基渗漏量有严格要求时,水平铺盖就不适用。国内部分中小型土石坝工程中的铺盖见表4-2。

为保证防渗效果,铺盖多采用土料填筑,其渗透系数最好不大于 10^{-5} cm/s,其透水性至少比砂砾坝基小 100 倍,其上游端厚为 $0.5 \sim 1.0$ m,下游端厚 h 取决于渗透比降 $i = \Delta H / h$(ΔH 为铺盖下游端的上下水头差),要求 i 不大于铺盖的允许比降。在采用一般壤土修筑铺盖时,其下游端厚为 $H/6\sim H/8$(H 为上下游水头差),但不小于 2.5 m。铺盖长度应保证提供适宜的渗径,控制平均比降不超过允许值,防止坝基砂砾产生接触冲刷和内部管涌,结合下游排水减压设施,使出逸比降小于允许值。铺盖长度一般采用 $(6\sim8)H$,且不小于 $5H$。不宜盲目追求长铺盖,因为加长铺盖,一方面固然延长坝基渗径,减少通过砂砾覆盖层的渗流量,但另一方面却增加通过铺盖的渗流量,因此水平铺盖存在一个有效长度 l_e,如超过 l_e,则所带来的减少砂砾覆盖层渗流量 ΔQ 的好处,被铺盖渗流量增值 $\Delta Q'$ 所抵消,渗流量变成常数,不再随铺盖进一步加长而减少。有效长度 l_e 取决于铺盖与砂砾覆盖层厚以及两者的渗透系数,可按式(4-2)计算:

表 4-2　　　　　国内部分中小型土石坝工程的铺盖

水库名称	坝型	坝高 (m)	铺盖长 (m)	铺盖厚 (m) 前端	铺盖厚 (m) 后端	土料干密度 (t/m³)	渗透系数 (cm/s)	地基渗透系数 (m/d)	设计渗透比降	铺盖方式
鸭河口	粘土心墙	32	224	0.5	4	1.65~1.7	5×10^{-7}	—	8	河床段
临城	粘土斜墙	33	130	1.0	3	1.7	5×10^{-7}	69~191	4~6	—
王快	壤土斜墙	62	200	1.0	6	1.65	1.5×10^{-5}	15~126	6	
西大洋	均质	54	180	1.0	5	1.65	3.5×10^{-5}	7~30	6	
黄壁庄(主坝)	均质	30.7	160	1.0	3	1.5	—	—	6	水中填土法
黄壁庄(副坝)	均质	19	160~400	0.9	3	1.6	10^{-5}	250	6	天然铺盖为主,人工加强
于桥	均质	22.8	200	1.0	2.5	1.32~1.66	$10^{-3}\sim10^{-4}$	9~15	6	天然铺盖为主
庙宫	均质	42	200	1.0	5	1.65	2.6×10^{-6}	130~150	6	
邱庄	均质	24.5	200	1.0	3	—	$10^{-3}\sim10^{-4}$	16~326	6	天然铺盖为主
龙门	均质	39.5	200	1.0	3	—	$10^{-3}\sim10^{-4}$	32~86	6	

$$l_e = \sqrt{2\frac{K_f}{K_b} \cdot T \cdot t_1}$$ (4-2)

式中 l_e——铺盖有效长度,m;

K_f、K_b——坝基及铺盖渗透系数,cm/s;

T、t_1——坝基厚及铺盖下游端厚,m。

设计铺盖时应注意铺盖与坝基砂砾间必须满足反滤过渡要求,填筑铺盖前应将基础整平压实,不得起伏突变或卵石漂砾成堆,以免蓄水后在上下游水压差作用下使铺盖产生压破穿洞或塌坑等事故;如河北省王快水库,曾由于基础石渣未清,发生过铺盖被压破事故。铺盖表面应覆盖砂砾或渣料进行保护,并防裂、防冻或防冲。

若土石坝上游有天然土层,其厚度和渗透系数均能满足防渗要求,可利用做水平铺盖,清除表面植物根、松土、碎渣和钻地动物洞穴等,再用重碾压实。施工期严禁在上游$(8\sim10)H$范围内挖除天然土筑坝,以免破坏天然铺盖。如天然铺盖厚度不够,可在其上铺筑人工铺盖加厚。在我国西北、华北黄土地区,建坝的河道大半为高含沙量,蓄水后库内常有淤土,应设法与大坝防渗体连接,形成天然防渗铺盖,这对斜墙坝、心墙坝都易做到,但对心墙坝,则宜在上游透水坝壳下面填筑壤土铺盖,与心墙相连,并伸到上游坝面,与水库淤土连成铺盖,见图 4-9。当然,采取这种措施,由于壤土铺盖抗剪强度一般低于上游透水坝壳及坝基砂砾,形成上游坝坡抗滑的相对薄弱部位,应在上游坝坡抗滑稳定计算时考虑这个因素。

如两岸坡缓又有防渗要求,可将铺盖延伸上岸,形成盆形,将岸坡包住,作为两岸绕坝渗流的防渗措施。经常遇到铺盖在两岸同裂隙发育的岩石陡坡相接,则库水会经由裂隙向铺盖下面的坝基砂砾中渗漏,形成渗透短路,使铺盖失效,并可能沿铺盖与基岩接触面发生接触冲刷,故最好进行处理:沿接触面(图 4-10 中 A、

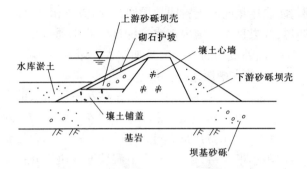

图 4-9　心墙与水库淤土连接示意

B 两处)对岩石进行喷浆,或冲洗干净后用水泥砂浆堵缝,并局部增加铺盖厚度,延长接触渗径。如有可能,沿接触面浇筑混凝土盖板,并对下面岩石进行固结灌浆,则比较彻底,当然要费工花钱。

施工期在上游围堰和大坝铺盖间应留足够空隙,以利于当围堰挡水时能顺畅排除基础渗水,防止形成承压水将铺盖顶破。如铺盖在施工期影响两岸地下水排泄,也应采取临时排水措施,然后在蓄水前将其堵闭,以免形成渗水通道。

近年来,也有一些工程在坝基砂砾上铺置土工膜以代替土质铺盖,经济、施工方便而且具有良好的不透水性,但应铺在平整无凹凸剧变或大漂砾成堆处,防止蓄水后压破,应做好土工膜粘结,并在表面铺土或砂砾进行保护。有关土工膜铺盖的构造要求详见《水利水电工程土工合成材料应用技术规范》(SL/T225—98)。

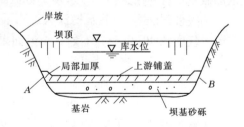

(二)截水槽

在砂砾覆盖层中开挖明槽,切断砂砾

图 4-10　铺盖与两岸岩石接触面处理示意
(剖面与坝轴平行)

层,再用与防渗体相同的土料回填压实,同防渗体相连,形成可靠的垂直防渗,效果显著。国内截水槽深度一般不超过 20 m,再深可能不经济。国外最深的截水槽是加拿大下诺赫(Lower Notch)坝,高 123.5 m,截水槽深达 82 m。

截水槽底宽应满足渗径要求,取决于截水槽回填土的允许渗透比降。对于粘土及重壤土,底宽不小于$(1/8\sim1/10)H$,对于中壤土不小于$(1/5\sim1/6)H$(H 为上下游水头差)。为满足施工要求,槽宽最好不小于 3 m。截水槽上下游坡度取决于开挖时边坡稳定要求,一般采用 1:1~1:2。国内部分土石坝工程的截水槽实例见表 4-3。

截水槽位置视工程地质和水文地质条件及坝型而定。对于心墙或斜墙坝,截水槽都位于心墙或斜墙下面。而对于均质坝,如截水槽设在坝轴处,其优点为:与两岸连接线路最短,同时坝体自重最大,使槽底压力也最大,有利于回填土与岩石接触面的渗流稳定;其缺点为:同截水槽位于坝轴上游相比,坝体浸润线偏高,截水槽下游坝基渗径较短。如将截水槽设在坝轴上游,其优缺点恰恰相反。均质坝常将截水槽设在坝轴上游,一般离上游坝脚不小于 1/3坝底宽。

在透水性均匀的砂砾覆盖层中,应采用完整截水槽,把透水层全部截断。若采用悬挂式截水槽部分截断透水层,则防渗效果大减。某些事例证明,当截水槽深入透水层达其厚度的 95% 时,其渗流量仅削减 40%,十分不划算。但如果坝基为多层地层,在经济深度范围内有防渗性能可靠、厚度能满足要求的弱透水层时,可将截水槽底置于该层,而不需穿透整个覆盖层,见图 4-11。施工前应注意查清在该层以下是否存在承压水和补给水源。施工时由于开挖截水槽,减小了覆盖层自重,设计要核对上述承压水会不会顶穿弱透水层而破坏其防渗作用,在截水槽回填之前要不要采取临时的排水措施。当水库建成蓄水后,在该弱透水层下面的透水层中,会产生承压水,要核算下游坝趾附近坝基抗流土稳定,必要时应采取排水或加盖重等措施。

表 4-3　　　　国内部分土石坝的截水槽实例

水库名称	设计水头(m)	砂砾覆盖层情况	截水槽尺寸 深度(m)	截水槽尺寸 底宽(m)	截水槽尺寸 边坡 上游	截水槽尺寸 边坡 下游	设计渗透比降	槽底处理措施
岗 南	58.4	砂 砾 石	8~16	5~12	1:2	1:2	4	嵌入基岩,钢筋混凝土止水墙,基岩灌浆
陆 浑	52.0	砂 砾 石	10~12	6	—	—	8.3	
小南湾	49.0	砂 砾 石	3~5	10	—	—	5.5	
岳 城	48.1	—	18~20	8	1:1.5	1:1.5	6	嵌入第三纪岩层
白 沙	47.9	砂 砾 石	10	10	—	—	4.8	
安各庄	46.4	砂 砾 石	7~12	10	1:1.5	1:(1.5~2)	3.5	嵌入基岩1m,分别用混凝土塞、混凝土截水墙、混凝土盖板及灌浆处理基岩
薄 山	40.8	砂卵石夹有淤土	12	10	—	—	4	
鲇鱼山	37.5	上部中粗砂、下部砂卵石	7~12	6	—	—	6.3	
横山岭	37.3	砂卵石	5.8~10	10	1:1.5	1:(0.7~1.1)	3	嵌入基岩
南 湾	34.5	砂层5m,砂卵石层3m	8	10	—	—	3.5	
洋 河	27.8	砂卵石	10	6~8	1:1	1:1.5	<3	嵌入基岩1m,分别用混凝土塞、混凝土截水墙、混凝土盖板及灌浆处理基岩
泼 河	26.6	中细砂及砂层	4~12	5	—	—	5.3	
陡 河	22	细砂及砂砾石	4	3	—	—	7.0	

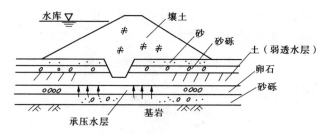

图 4-11　位于弱透水层上的截水槽

截水槽开挖后应做好槽底排水,以便在干燥状态下填土,才能保证回填土质量。截水槽与基岩的接触面渗径最短,更需确保填土质量。此处位置最低,往往渗水集中,可用水玻璃或速凝水泥,堵塞岩面泉眼,并将集中渗水局部围起,形成聚水坑进行抽水。待填土上升再以砂、卵石填坑,上部用土覆盖,用管子与聚水坑连接,继续抽排渗水,待平压后用灌浆封闭。为排除由砂砾层渗向截水槽的大面积渗水,可在截水槽的上下游侧岩面上,沿槽全长各筑一道混凝土或浆砌石小挡墙,形成集水沟,向外抽渗水。截水槽填土上升后,以砂砾回填盖上土,接上管子继续抽,平压后以灌浆封闭,见图 4-12。总之设计应要求施工部门采取各种措施做好截水槽的施工期排水,以保证在干燥情况下压实截水槽回填土。

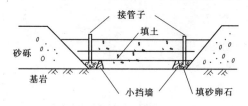

图 4-12　截水槽排水示意

如截水槽填土与透水基之间不能满足反滤过渡要求,应沿其下游坡铺设反滤,与心墙或斜墙下游坡的反滤层及下游水平排水褥垫相接。必要时,可对截水槽下面的基岩进行帷幕灌浆,有关截水槽与基岩接头以及基岩的帷幕灌浆,详见本章第一节岩石地基处理。

(三)混凝土防渗墙

适用于深厚透水坝基。具体做法为:

(1)连锁桩柱式:用冲击钻或大钻机打大口径钻孔,用套管护壁,再自下而上浇混凝土。先打一期孔(每隔一孔),后打二期孔,相互搭接形成整体墙。也有先打主孔,后劈打主孔之间副孔,用泥浆固壁,浇筑混凝土,形成防渗墙。

(2)槽孔式:槽孔长 6～9 m,一、二期槽孔相间排列,先后实施,相互搭接。以冲击钻或冲击抓斗造孔,在每一槽孔中先打主孔,后劈打副孔,用泥浆固壁,再用导管由下向上往槽内浇筑混凝土,形成连续混凝土墙。当前,以槽孔式防渗墙使用较广,国内混凝土防渗墙最深为黄河小浪底水利枢纽工程,最大深度达 81.9 m,国外最深混凝土防渗墙为加拿大的马立克 3 号坝,达 131 m。国内及国外深度超过 40 m 的若干混凝土防渗墙实例,分别参见表 4-4 及表 4-5。

固壁泥浆主要用于保护孔壁,防止塌孔。泥浆渗入孔壁以外地层一定距离,有助于防渗,并在孔壁上形成坚韧密实的泥皮,防止地下水向槽内渗漏,增加孔壁稳定性,泥浆还可将岩屑悬浮,便于清洗孔底。在冲击钻进过程中,大量被破碎的岩屑通过泥浆的循环或抽砂筒的捞取,被挟带出地面,使孔底保持干净。选用优质固壁泥浆对保证混凝土防渗墙质量颇有意义。国内几个工程的固壁泥浆技术指标见表 4-6。

防渗墙所用混凝土要具有较高的抗渗性和耐久性,抗渗标号视所承受水头而定,采用 S4～S8 不等,应具有一定的强度和柔性,28 d 强度 R_{28} 一般为 8～12 MPa,也有大于 20 MPa;要求有良好的和易性和流动性,用导管浇筑,坍落度多控制在 18～22 cm。为增加墙的柔性及和易性,通常掺加粘土,其重量为水泥重量的

表4-4

国内深度超过40 m的部分混凝土防渗墙统计

工程名称	坝型	地基土层 性质	地基土层 最大深度(m)	地基土层 渗透系数(m/d)	墙上水头(m)	墙厚(m)	墙的渗透比降	最大墙深(m)	槽孔长(m)	墙面积(m²)	回填方量(m³)	墙与基岩连接 基岩情况	墙与基岩连接 处理措施	墙与基岩连接 嵌入基岩深度(m)
密云主坝	斜墙土石坝	砂卵石	44	500~1 070	63.5	0.8	80	44	5~30.2	18 876	20 206	新鲜石英岩和片麻岩	未处理	0.5
毛家村	心墙土石坝	砂卵石	32	6~60	72	0.8~0.95	80~85	44	5~10.3	7 831	–	半风化玄武岩	墙身埋管灌浆	0.5
南谷洞	斜墙土石坝	砂卵石	51	310	73	0.8	91.2	53.3	6.8~9	2 920	3 559	弱风化	未处理	0.5
十三陵	斜墙土石坝	砂卵石	59.5	260	29	0.8	41.5	60	6.8~10.8	20 790	20 877	弱风化安山岩	未处理	0.5~1.0
斋堂	斜墙土石坝	砂卵石	48	126~403	–	0.7	–	56	–	–	4 943	弱风化	–	0.6~0.7
碧口一期	心墙土石坝	砂卵石	38	16~331	100	1.3	77	41	9~19.3	3 100	–	弱风化	未处理	1.0
碧口二期①	心墙土石坝	砂卵石	38	16~331	100	0.8	125	68.5	9.6~24.9	7 256	7 802	弱风化	部分灌管灌浆	1~1.5
黄洋河②	心墙土石坝	填土及砂卵石	–	–	–	0.8	65.6	64.4	3.6~8	5 430	–	半风化花岗岩	未处理	0.5
澄碧河③	均质土坝及心墙土石坝	–	–	47.4	38	0.8	48	55	5.8~8.8	14 175	17 146	砂岩		1~2
柘林④	心墙土石坝	–	–	–	–	0.8	54	61.2	–	–	–	砂岩		3.5~5
海子	斜墙土石坝	–	19	22	–	0.8	33	44	–	–	–			2
小浪底⑤	斜心墙土石坝	砂卵石及粉细砂	80	–	90~112	1.2	75~93	81.9	7.2	21 800	–	砂质岩	右岸部分墙下基岩设灌浆帷幕	1

注：①少部分墙中配钢筋，防渗全长的30%预埋管灌浆；②在坝顶顶建防渗墙加固；③在坝顶建防渗墙加固；④在坝顶顶建防渗墙加固，施工时水库水深47~58m；⑤墙体混凝土标号R_{90}为33 MPa。

表 4-5　　国外深度超过 40 m 的部分混凝土防渗墙统计

坝　名	国家	坝型	覆盖层深 (m)	防渗墙深 (m)	防渗墙结构型式	防渗墙厚 (m)	防渗墙面积 (m²)	防渗墙渗透比降
马尼克 3 号(Manic 3)①	加拿大	心墙土石坝	107	130.4	131	双孔式连锁桩柱与槽孔混合墙	2×0.61	20 700	87.6
莫尔罗斯(Morelos)②	墨西哥	心墙堆石坝	60	80	80	连锁桩柱式防渗墙和槽孔防渗墙	0.6	15 000	100
塞斯罗勒(SeSQuile)	哥伦比亚	心墙堆石坝	52	75	75	连锁桩柱式防渗墙和槽孔防渗墙	0.55	—	94.5
第一瀑布(Premierechute)	加拿大	斜心墙土石坝	38	60	60	槽孔式连续防渗墙	0.75	5 500(近似)	50.6
阿勒格尼(Allegheny)③	美国	堆石坝	51	55	56	—	0.76	10 700	67
埃罗(Arrow)④	加拿大	斜墙土石坝(围堰)	35	—	52	槽孔防渗墙	0.75	226	46.6
弗莱斯特利茨(Freistritz)⑤	奥地利	沥青面板堆石块	22	—	47	槽孔防渗墙	0.5	32 000	44

注：①河谷深处用素混凝土圆孔相连，两岸用钢筋混凝土槽孔，嵌入基岩 0.61 m，预留管灌浆；②在基岩深 25 m 范围内进行灌浆；该地区地震频繁，震中距坝址 50 km；③长 426.7 m，深入基岩 0.6 m，混凝土强度 26.9 MPa；④混凝土强度 28 MPa；⑤槽孔长 6 m。

表 4-6　　　　　　国内几个工程的固壁泥浆技术指标

工程名称	容重 (kN/m³)	粘度 (s)	含砂量 (%)	胶体率 (%)	稳定性 (g/cm³)	静切力 (Pa)	失水量 (mg/30min)	泥皮厚 (mm)	pH 值
苏联规范	11	20~30	<4	95	<0.03	2~3	25	<2~4	—
密　云	11.5~12.5	18~22	<6	>97	<0.03	—	<20	<4	—
毛家村	12.3~12.7	20~30	<8	>93	<0.06	2~10	<45	<8	8~9
白龙江(一)	11.5~13	18~25	<8	>95	0.03	2~10	<20	<4	—
白龙江(二)	12~12.5	19~25	<5	>95	<0.03	2~5	<20	<4	—
斋　堂	12~12.2	18~22	2~4	90~96	0.03~0.07	4~6	25~28	5~8	6.5
乌江渡	12.2	19~21	<3	95	0.02	2~2.5	<22	3	7
澄碧河	11.5~13	19~22	<4	>98	<0.03	—	<40	<4	—
南谷洞	11.5~12	20~25	<6	>98	<0.02	2~10	<15	<2.5	—

15%~30%,由试验决定。掺入 1‰左右加气剂,以提高其抗渗性、耐久性,如水质有侵蚀性,宜采用火山灰质硅酸盐水泥和矿渣水泥。国内若干工程所用混凝土配合比及技术性能指标见表4-7。

　　防渗墙承受如下荷载:①作用在墙顶的土压力;②由于基础沉降而防渗墙基本不沉降,使墙侧面受到摩擦力;③防渗墙上游水压力;④侧向土压力。关于混凝土防渗墙的结构计算,以往多简化为弹性地基梁进行计算,由于对边界条件、某些外荷载(如墙侧土压力、摩擦力等)以及下游侧覆盖层的弹性抗力系数等都难以确定,故所得结果往往不尽符合实际,如得出墙的弯矩往往偏大,甚至会产生拉应力而断裂等。而根据中国碧口和加拿大马尼克 3 号坝的防渗墙实测资料,墙身几乎没有拉应力,或拉应力数值和区域都很有限。因此,混凝土防渗墙的结构尺寸主要应根据条件接近的已有工程进行类比。当然,随着计算技术的发展和岩土科学的进步,按照较符合实际的参数,利用电子计算机,用有限元计算防渗墙受力状态,为设计提供参数成为可能。

　　防渗墙厚度主要取决于作用在墙上的水头及混凝土的允许水

表 4-7

国内一些混凝土防渗墙所采用的混凝土配合比技术性能指标

名称	水泥	粘土(粉质粘土)	每立方米混凝土用料(kg)				加气剂(1/10 000)	水灰比	砂率(%)	坍落度(cm)	28 d抗压强度(MPa)
			砂	5~20mm 小石	20~40mm 小石	水					
月子口	278	250	535		995	343	—	0.65	35	18~21	6.0~7.0
密 云	375	75	580		1 075	240	1.25	0.64	35	19.5	11.0
毛家村	378	94.5	534		1 083	260	1.2	0.55	34	19	9.8
金川峡	330	80	605		1 100	246	1.0	0.60	35	18~20	8.0~10.9
猫跳河四级	336	—	742		1 067	235	1.5	0.65	36	—	16.9
十三陵	320	80	595		1 058	260	塑化剂0.5%	0.65	36	17~22	8.0~10.0
斋 堂	280	93	628		1 028	260	2.5	0.70	38	22~24	8.0~10.0
旗 岭	312	134	512		960	290	—	0.65	35	18~22	7.0~10.0
映秀湾	—	—	—	—	—	—	—	—	—	19~20	15.5
渔子溪	410 440	— —	764 672	602 642	401 423	221 220	— —	— —	— —	19.1 21.8	21.1 30.0
澄碧河	310 313.8	78.5 55	566 580		1 063 1 090	255 250	—	0.65 0.68	35	20 21	7.5 10.1
柘 林	294	73	549	649	433	235	1.0	—	36	19~21	11.55

力比降。根据实践经验,允许渗透比降可用80~100,关键在于提高混凝土质量。墙厚一般为0.6~0.8m,碧口一期及小浪底墙厚分别达1.3m和1.2m。

防渗墙下端应嵌入基岩0.5~1.0m,造孔时泥浆和岩粉可能沉淀于孔底,基岩表面也可能被冲击钻振裂,应清理并用灌浆封闭。必要时可通过墙内预埋管对墙下基岩进行帷幕灌浆。

防渗墙上端插入土石坝防渗体内,蓄水后墙顶附近等势线密集(图4-13),渗透比降较大,对渗透稳定不利,如处理不当,可能沿墙与填土接触面或墙周发生管涌破坏,而且不易及时发现,设计应慎重对待。防渗墙与土石坝的土质防渗体连接型式一般有插入式及廊道式两种,分述如下:

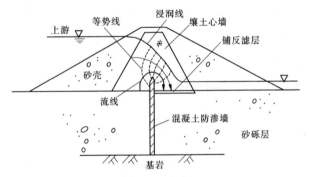

图4-13 防渗墙插入坝体流网示意

1.插入式

防渗墙插入土体(图4-14),插入部分用人工浇成,为改善与土的结合,做成上狭下宽的楔形。由于防渗墙刚度远大于坝体填土及坝基砂砾覆盖层,因此墙顶填土与墙两侧填土之间产生不均匀沉降变形(图4-14),墙侧填土通过摩擦力将部分自重传给墙顶填土,使墙顶出现大于土柱自重的高土压力区,混凝土防渗墙的压应力大为增加,如抗压强度不够,可能被压碎。而墙两侧填土则由

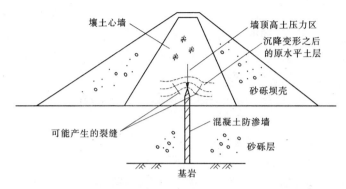

图 4-14　防渗墙周围填土沉降变形示意

于土拱效应产生小于上填土重的低土压力区,可能导致水力劈裂。由于填土不均匀沉降,可能因挠曲变形而使墙的两侧土体产生如图 4-14 所示的裂缝,破坏其整体性。为了弥补上述缺陷,一些工程便在墙顶设置塑性土区(图 4-15),其粘粒含量要高些,填筑含水量高于最优含水量,干密度略低于两侧填土,使其具有较高的塑性,以其较高的压缩性,来减少墙顶和两侧的填土之间的不均匀沉降,削弱土拱效应,同时由于塑性土抗裂性能较好,有助于防止裂缝产生,加强土体整体性。坝高分别为 154 m 及 101 m 的小浪底

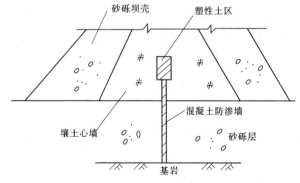

图 4-15　防渗墙顶的塑性土区

和碧口大坝,都在混凝土防渗墙顶设4 m×5 m(宽×高)的塑性土区。墙插入土体的深度,既要满足接触渗径要求,又不能太深,以致加重上述不均匀沉降所带来的各种恶果。因此,设计时对插入深度应慎重对待,仔细斟酌。通常插入深度可根据填土粘性大小,宜采用$H/10$左右(H为防渗墙上下游最大水头差),同时不小于2 m。

沿防渗墙与填土接触面以及墙体附近填土过来的渗水,在防渗墙下游一带渗入地基,其出逸坡降比较大(图4-13),且位于隐蔽部位,故此处的坝基与防渗土体之间应严格满足反滤要求,否则应铺反滤,防止防渗土体产生渗流破坏。

2. 廊道式

多用于双道防渗墙上。对于高坝,有时在砂砾坝基设双道防渗墙,并对防渗墙之间的基础砂砾进行灌浆。图4-16为高107 m的加拿大马尼克3号坝防渗墙与大坝防渗体的廊道式连接。顶部填膨润土区的作用见插入式所述。廊道顶还埋有放压管,当因墙顶填土与墙侧填土产生较大不均匀沉降使墙顶出现较大集中力时,墙顶的膨润土便通过放压管,自动排入廊道,达到减压目的。

近年来,有些工程采用塑性混凝土防渗墙,混凝土水泥用量仅$50 \sim 100$ kg/m³,具有很低的变形模量(低于1 000 MPa),与普通混凝土防渗墙相比,塑性混凝土防渗墙有较大压缩性,可以降低由于墙与砂砾覆盖层及填土间变形模量不同而引起如以上所述的墙顶土与墙两侧填土之间的不均匀沉降以及由此产生的土拱作用、墙顶高土压力区、以及防渗墙受高压应力作用等不良现象。但应指出,塑性混凝土抗压强度低,以近年建成的采用塑性混凝土的智利科尔文(Colbun)坝为例,塑性混凝土的90 d抗压强度仅2.02 MPa,因此,该防渗墙比一般混凝土防渗墙更容易受压破坏。在实际工作中应综合考虑上述利弊,进行墙体应力的有限元计算,通过调整混凝土配合比,以获得满足设计要求的塑性混凝土的变形模

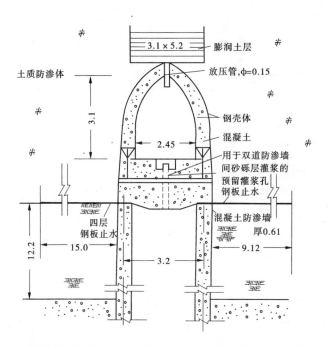

图 4-16 加拿大马尼克 3 号坝双道防渗墙与坝体的廊道式连接(单位:m)

量和抗压强度。

(四)帷幕灌浆

1.概况

砂或砂砾坝基可通过灌浆形成灌浆帷幕直达基岩,达到坝基防渗目的,可适用于各种坝高的深厚覆盖层。这种处理方法在国内外都已取得成功经验。最深的为埃及阿斯旺坝,灌浆帷幕深达 250 m,共 15 排,坝基渗透系数由灌前 $1 \times 10^{-3} \sim 5 \times 10^{-5}$ m/s 降至灌后 3×10^{-6} m/s。法国谢尔·邦松坝,覆盖层深达 115 m,夹有大砾石,采用帷幕灌浆,深 115 m,共 19 排,坝基渗透系数由灌前 $3 \times 10^{-3} \sim 9 \times 10^{-4}$ m/s 降至灌后的 2×10^{-7} m/s。国内外若干工程的灌浆实例详见表 4-8 及表 4-9。

表 4-8

国内坝基灌浆处理部分工程实例

坝名	坝型	水头 (m)	灌浆深度 (m)	每排深度 (m)	排数	平均间距 (m)		与心墙接触处渗透比降	全部孔长 (m)	灌浆压力 (MPa)	平均吸浆量 (t/m)	平均渗透系数 (m/s)	
						排距	孔距					灌浆前	灌浆后
密云①	斜墙土坝	66	44	—	3	3.5	4	6	6 601	0.5~1.5	1~2	$(0.36\sim1.2)\times10^{-2}$	$6.3\times10^{-6}\sim5.5\times10^{-7}$
岳城②	土坝	—	—	—	3	1.7~3.3	6	—	—	0.3~1.5	0.6~2.3	0.23×10^{-3}	—
下马岭③	混凝土重力溢流坝	33	40	40	3	3	3	3.6	1 979	3.0 (约等于 H)	1.6	$(1\sim6)\times10^{-3}$	$10^{-6}\sim10^{-7}$

注:①坝基砂砾层;
　　②坝基砂砾层灌水泥浆;
　　③坝基砂卵砾层套管少量泥浆钻进。

表 4-9　国外若干工程坝基灌浆处理实例

| 坝名 | 国家 | 水头 (m) | 最大灌浆深度 (m) | 总排数 | 平均间距 (m) | | 与心墙接触处渗透比降 | 灌浆总进尺 (m) | 灌浆压力 (MPa) | 平均吃浆量 | | | 平均渗透系数 (m/s) | |
					排距	孔距				每米孔深	每平方米精土	每立方米冲积层	灌前	灌后
阿斯旺	埃及	110	250	15	2.5~5	2.5	1.9	321 000	3.0~6.0	1.4	5.1	0.19	10^{-3}~5×10^{-5}	3×10^{-6}
米松·大沙基	加拿大	60	150	5	3	3~4.5	5	8 000	$0.05H$ (当 $H<56$ m) 0.03~$0.06H$ (当 $H>56$ m)	2.4	3.1	0.205	2×10^{-3}	4×10^{-6}
昔勒文斯丹	西班牙	40	120	7	3	2~3	2.2	8 000	0.03~$0.06H$	1.3	2.5	0.216	5×10^{-3}	1.3×10^{-6}
谢尔邦松	法国	100	115	19	2~2.5	2.5~4	3.4	16 200	$0.06H$(当 $H<60$~80m)	1.5	6.7	0.255	3×10^{-3}~9×10^{-4}	2×10^{-7}
马特马克	瑞士	110	110	10	3	3.5	3.3	49 000	2.0~2.5	1.4	3.2	0.135	10^{-2}~10^{-4}	6×10^{-5}
杜尔拉斯波登	奥地利	70	75	8	2.5~3	3	3.5	20 500	–	0.8	1.6	0.067	3×10^{-6}	8×10^{-7}
柯米叶圣母坝	法国	36	70	5	3	3	2.4	12 400	$0.05H$	1.3	0.9	0.175	10^{-2}~3×10^{-4}	2×10^{-6}
回水	英国	45	65	5	3	3	3.7	15 250	0.7~1.2	–	–	–	10^{-2}	10^{-7}

注：灌浆压力栏中 H 为自地面至灌浆段中心的距离(m)。

2.可灌性

在确定采用帷幕灌浆处理方案之前,应对砂砾覆盖层进行详细的地质勘探,查清分层情况、级配、渗透系数,以判断其可灌性并设计适宜的灌浆材料。应严格防止坝基存在一些渗透系数比较小的细粒夹层(如粉细砂等)而未被发现,以致不吃浆,在帷幕上留下漏水"天窗",形成防渗弱点。

判断坝基砂砾可灌性的办法通常如下。

1)按可灌比 M

$$M = \frac{D_{15}}{d_{85}} \tag{4-3}$$

式中　D_{15}——被灌砂砾料的粒径,小于该粒径的土重占总重量15%;

d_{85}——灌浆材料的粒径,小于该粒径的重量占总重量85%。

工程实践表明,如 $M > 15$,可灌水泥浆;如 $M \geqslant 10$,可灌水泥粘土浆。

2)按砂砾层渗透系数

如渗透系数 $K > 80$ m/d,可灌水泥浆;如 $K > 40$ m/d,可灌水泥粘土浆。一般情况下,坝基砂砾渗透系数愈大,灌浆效果愈好,灌后渗透系数降低愈多。但对于强透水,如漂砾之类,浆液扩大范围很远,吃浆量大增,应在浆液中采用掺合料,并通过试验,选定浆材及灌浆压力等参数,以判定进行帷幕灌浆是否现实可行。

3)按砂砾料级配

如坝基砂砾小于0.1 mm的颗粒含量不超过5%,一般可灌水泥粘土浆。此外,根据一些资料整理出如图 4-17 所示的级配曲线,供选定浆材参考:如级配曲线在 A 以左,易接受水泥灌浆,B、A 之间易接受水泥粘土灌浆,C、B 之间须使用膨润土或精细粘土与高度磨细的水泥(或高速搅拌的水泥浆)制成的混合浆进行灌

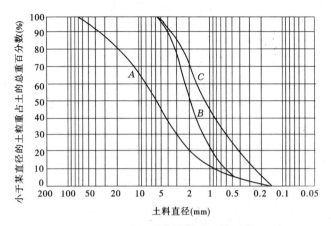

图 4-17　判别土壤可灌性的颗粒级配曲线

A—接受纯水泥浆的土壤分界线；B—接受一般水泥粘土灌浆的土壤分界线；

C—接受精细粘土与高细度水泥(或高速搅拌的水泥浆)的混合浆的土壤分界线

浆。

一般情况下,设计者可参照以上方法(主要是1)及2)),来对坝基砂砾的可灌性作出判断。应指出,砂层或砂砾层一般都可进行化学灌浆。

3. 灌浆方法

采用的灌浆方法有如下4种。

1)打管灌浆法

将带花管的钻管直接打入砂砾层,再将管内淤沙冲洗后进行灌浆,见图4-18。该法多用于灌浆深度不深的临时工程。

2)套管灌浆法

将套管打入砂砾层,利用套管护壁,下入灌浆管,逐段上拔套管进行灌浆,如图4-19。

3)循环钻灌法

在地面设孔口管,下入灌浆管,自上而下,钻一段灌一段,见图4-20。

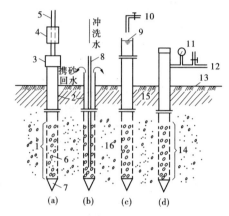

图 4-18 打管灌浆施工程序示意

(a)打管;(b)冲管内淤砂;(c)自流式灌浆;(d)机械压力灌浆

1—花管;2—导管;3—打管帽;4—吊锤;5—导杆;6—管内涌砂;7—锥形体;

8—冲洗进水管;9—浆液面;10—注浆管;11—压力表;12—进浆管;

13—地面;14—灌浆段;15—盖重层;16—受灌的砂砾石层

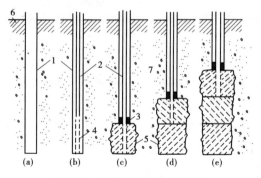

图 4-19 套管灌浆法施工程序

(a)套管护壁的钻孔;(b)下入灌浆管;(c)起拔套管,第一段灌浆;

(d)起拔套管,第二段灌浆;(e)起拔套管,第三段灌浆

1—护壁套管;2—灌浆管;3—橡胶塞;4—花管;5—浆液扩散范围;

6—盖重层;7—受灌的砂砾石层;

4)预埋花管法

在覆盖层中埋设,每隔一定距离钻一排带孔眼的花管。孔眼外包有橡皮箍,在花管与孔壁间填强度低的粘土水泥填料,灌浆管放入花管后,压力浆液顶开橡皮箍,通过开裂的填料进入砂砾覆盖,详见图4-21。该法运用最广,优点是一次钻孔,孔内设花管不会塌孔,灌浆管在花管中上下移动,可灌任何一段,也可重复灌,施

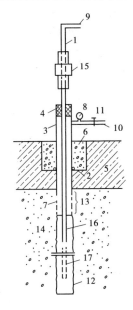

图 4-20 循环钻灌法示意

1—灌浆管(直径 42 mm 钻杆);2—防浆
环;3—孔口管;4—封闭器;5—土层;
6—混凝土;7—孔口管下部的花管;
8—压力表;9—进浆胶管;10—回浆管;
11—阀门;12—孔壁;13—盖板灌浆段;
14—砂砾石层;15—钻机的竖轴;16—孔内
灌浆管(直径 50 mm 钻杆);17—射浆花管

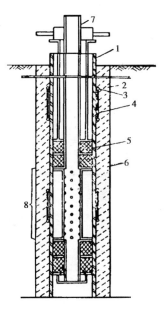

图 4-21 预埋花管法

1—花管;2—夹圈(填料);

3—铅丝(防滑环);4—橡皮箍;

5—橡胶塞;6—孔壁;

7—灌浆管;8—灌浆段

工比较方便,缺点是花管不能回收,浪费管材。

4. 灌浆材料

主要为水泥、粘土或膨润土,应满足细度、稳定性和胶结能力及胶结强度等要求。在强透水层中灌浆,可掺入砂子、磨细矿渣、粉煤灰等掺合料。为了改善浆液性能,还可加入促凝剂、塑化剂等外加剂。水泥标号不低于 425 号,对于永久性防渗帷幕,建议水泥含量占总干料的 20%～50%(重量),临时性防渗帷幕可适当降低浆液中水泥含量。一般先灌边排后灌中排,边排孔采用水泥含量较高的浆液,中排孔采用水泥含量较低的浆液。地层吸浆率大者采用浓浆,小者采用稀浆。水泥粘土浆的一般配比及性能见表4-10。

表 4-10　　　　　水泥粘土浆的一般配比及性能

排别	性　　　能					
	干料:水	配合比 (水泥:粘土)	容　重 (kN/m³)	稳定性 (g/cm³)	粘度 (s)	失水率 (%)
边排孔	1:1～1:3	35%:65%～40%:60%	14.8～12.1	<0.02	37～18	<2
中排孔	1:1～1:3	20%:80%～25%:75%	14.7～12.0	<0.02	37～18	<2

注:1. 粘度不能大于 60 s;

　 2. 原浆(泥浆)容重控制在 14.0kN/m³;

　 3. 浓浆用于吸浆率大于 100 L/min,稀浆用于小于 50 L/min。

5. 灌浆压力

取决于孔深、孔位(中、边排)、灌浆次序、灌注方式及砂砾层容重等。一般孔愈深则压力愈大,中排灌浆压力较边排大;耗浆量大,则降低压力。灌浆压力由试验确定,使在最大压力下地面不产生过大抬动(不宜超过受灌砂砾层厚 1%～2%)及地面不产生较多冒浆串浆和裂缝等。未试验前先按式(4-4)或式(4-5)计算,再通过试验修正,一般多采用式(4-4)。

$$P = \frac{1}{1\,000}\beta\gamma T + \frac{1}{10}Ca\lambda h \qquad (4-4)$$

$$P = 0.08H \quad （外排孔）$$
$$P = 0.1 \times H \quad （内排孔）$$
$$(4-5)$$

式中　P——灌浆压力，MPa；

　　　T——盖重层厚，m；

　　　β——系数，在 1～3 范围内选用；

　　　γ——盖重的容重，kN/m³；

　　　C——与灌浆顺序有关的系数，一序孔 $C=1$，二序孔 $C=$
　　　　　1.25，三序孔 $C=1.5$；

　　　α——与灌注方式有关的系数，自下而上灌 $\alpha=0.6$，自上而
　　　　　下灌 $\alpha=0.8$；

　　　λ——与砂砾级配、性质、渗透性有关的系数，λ 范围为 0.5
　　　　　～1.5，结构疏松、渗透性强取小值，反之取大值；

　　　h——自盖重层底（当无盖重时由砂砾层表面算起）至灌浆
　　　　　段顶深度，m；

　　　H——由地面至灌浆段中心深度，m。

6. 帷幕深度及厚度、排数

灌浆帷幕应穿透整个覆盖层并深入不透水层，形成完整式帷幕。也有些工程如密云水库，上部为混凝土防渗墙，下部为灌浆帷幕。帷幕厚取决于灌浆帷幕的允许渗透比降，对于水泥粘土灌浆，允许比降采用 2.5～4.0。通过试验决定满足幕厚要求所需排数，一般超过 3 排，先用低压浓浆灌边排孔，再用稀一些浆、高一些压力灌中排，使幕体充填密实。每排一般采用三序灌浆，孔距先稀再逐渐加密。由于幕体所受水头上面比下面大，故按等渗透比降原则，幕厚也上面比下面大，即边排孔浅、中排孔深，形成上厚下薄的灌浆帷幕。

7. 上下接头

灌浆时应控制地面抬动不超过灌浆深度的 1%～2%。由于灌浆时表层易发生冒浆和地层抬动，故表层 4～6 m 范围的灌浆质

量难以保证,应挖除,并回填土,与防渗土体连接(图 4-22);也可先填一定厚度的防渗土体作为盖重,再通过填土对其下面砂砾层进行灌浆,使得砂砾层表面可以起压,以保证质量。但应严加控制,勿使填土上抬开裂,或沿填土与砂砾表层接触面跑浆,使填土产生接触冲刷,反而增加处理困难。灌浆帷幕应嵌入基岩,如基岩需进行帷幕灌浆,两者连接设计有两种方案:

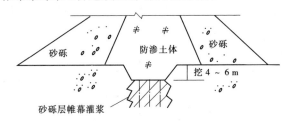

图 4-22 灌浆帷幕表面处理示意

(1)与覆盖层灌浆帷幕中的上游边排孔结合(图 4-23a),因边排孔孔距常较中排孔小,可与基岩帷幕孔结合,节省钻孔,而且待边排孔完成灌浆后,进行中排孔灌浆的同时,可进行边排孔下面的基岩灌浆,以争取工期。其缺点是基岩灌浆易向覆盖层跑浆,影响两者接合质量。

(2)与中排孔结合(图 4-23b),其优缺点与第一种方案相反。因两者连接位于中间,结合部的基岩灌浆不易往砂砾层跑浆,灌浆质量较有保证,连接较好,故多用此法。

三、排渗措施及透水盖重

对于砂砾坝基除了采取如上所述的防渗措施外,尚需针对不同防渗方案,相应采取各种排渗措施,安全排泄渗水,降低坝基扬压力,必要时可在下游坝趾设透水盖重,保证坝基渗流稳定。对于垂直防渗方案,砂砾层渗水被完全截断,坝基渗流得到较彻底控制,下游排渗措施可适当简化,而水平铺盖由于砂砾覆盖层未被截

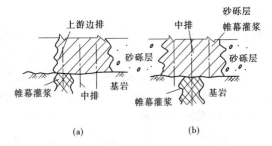

图 4-23　灌浆帷幕与基岩帷幕灌浆连接示意

断,一般应在下游设水平褥垫排水、反滤排水沟、减压井或透水盖重等。

(一)水平褥垫排水

适用于均质或上层透水性大于下层的双层地基。水平褥垫排水的核心为堆石或砾卵石,外包反滤层,满足与坝体及坝基之间的反滤过渡要求。

水平褥垫排水成片连续铺在坝基上,由下游坝趾沿坝基向坝体延伸(图 4-24),以排泄坝基及坝体渗水。水平褥垫排水伸入坝体为坝底宽的 1/3~1/4,具体伸入多少取决于降低坝体浸润线的要求,并要控制坝基渗透比降不超过允许值。水平褥垫厚应根据其排水量为渗流量的 2~3 倍的要求,由计算确定,一般为 1~2 m。该法不宜用于上层透水性小于下层的双层坝基,和强弱透水层互为夹层的多层坝基。

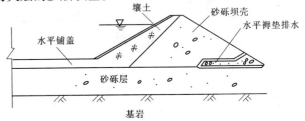

图 4-24　水平褥垫排水示意

(二)反滤排水沟

如砂砾覆盖层为双层结构,且上层比下层透水性小,同时上层又不厚时,可在下游坝趾设平行于坝轴的反滤排渗沟,穿过上层弱透水层,以排泄下层透水层渗水,削减可能产生的承压水,沿沟四周与坝基接触面填反滤层,再在沟内填堆石或卵砾石,见图4-25。沟底宽应满足减压排水需要并方便施工,一般不小于1~2 m,下游坝面排水沟宜同反滤排水沟分开,分别排水,避免排泄坝面雨水时将泥带入反滤排水沟中。

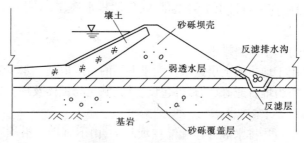

图 4-25 反滤排水沟示意

反滤排水沟也可做成暗沟,设在坝内,接间隔式水平排水褥垫,将渗水排出坝外。暗沟设在坝内更有利于削减坝基扬压力,增加下游坝坡稳定,但观测维修较困难,而且缩短了下部透水层渗径,增加渗水出逸坡降,故伸入坝内长度应满足透水层的渗透比降不超过允许值,一般不超过1/3~1/4坝底宽。

反滤排水沟不宜用于上部不透水层比较厚,或存在许多透水夹层和渗流集中带的多层结构砂砾地基。

(三)减压井

1.布置及构造

如果表层弱透水层比较厚,挖反滤排水沟不经济,或属多层坝基,可在下游坝趾处设减压井,穿过弱透水层,直达强透水层,进行排水减压(见图4-26)。减压井由井管(滤管和引水管)及上部出水

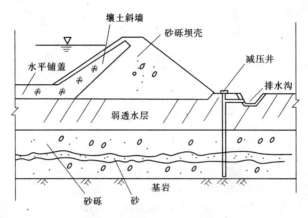

图4-26 减压井布置示意

口组成。造井步骤:以冲击钻造孔,用清水固壁(用泥浆固壁会影响以后排水效果)下井管;回填井管与孔壁之间空隙(在滤管周围填反滤,在引水管周围如为强透水层填砂砾,如为弱透水层填土料);洗井,进行抽水试验,安装井口井帽。井管由滤管及引水管组成,滤管进入透水层,管周开孔用以进水,开孔面积占表面积的12%～15%,外包玻璃丝网或土工织物网(包棕皮或芦席虽简单,但水头损失大且易堵)。井距、井径和井深通过计算确定,使位于减压井之间弱透水层底面上的水头 H_m(高出尾水位的测压管水位)不超过允许值(图4-27)。井距一般采用20～30m,一般减压井与减压井之间透水层的水头最大,可在此处布设测压管。如发现水头超过设计值,可补打新井,以缩短孔距,降低压力。井径以保证出流能力和井的各种水头损失不致过大为宜,继续加大井径对减压效果并不显著。通常为15～30cm,井深至少深入强透水层厚度50%以上,否则,排水效果大减。对于强弱透水层互为夹层,其中存在几个强透水层的坝基,可以设一个减压井穿透各层,同时排泄各层渗水,但如有条件,最好布设几个减压井,分别排泄各强透水层的承压水,以免遇到各层承压水的压力不同,形成各层间串水

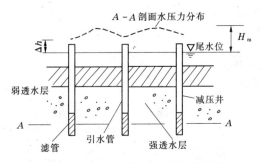

图 4-27 减压井间透水层水压力分布示意

Δh——通过减压井的水头损失；H_m——直接作用在

两减压井中间的弱透水层底面的水头(高出尾水位)

现象,而且运行期如出现承压水异常现象,难以判断问题出在哪一层,造成管理不便。

　　井口高程愈低,减压效果愈显著,但开挖地面排水沟的工程量也愈大,故井口高程应通过经济比较确定。井口高程应高于排水沟中水位,以防沟中泥水倒灌,淤积减压井。井管可采用木管、石棉水泥管、铸铁管、缸瓦管、塑料井管等。木管便于开孔制作,但在地下水变化区易腐烂,耐久性稍差;石棉水泥管用做滤管时,开孔不便;缸瓦管每段较短,性脆易损,不易安装;透水混凝土管易堵;包土工织物作反滤可减少淤堵。塑料井管轻便耐用,可能是今后的发展方向。

　　滤管周围的反滤料规格,应根据地层砂砾料的级配确定。为减少淤堵,可在滤管与砾石反滤间设土工织物。回填滤料可用导管,以减少滤料分离,井底应密封防淤。许多工程证明:减压井易堵,应加强维护,每年汛后可通过抽水试验检查,发现淤堵立即洗井。

　　2.减压井渗透计算

　　1)透水基上的上下游不透水表层为有限长情况(图 4-28)

　　每井出流量 $Q_w(m^3/s)$ 按式(4-6)计算,井系平面(即通过井系轴线的垂直平面)的平均测压管水位 H_a 按式(4-7)计算,作用在不透水表层底面、位于两个减压井中间的测压管水位 H_m 按式(4-8)计算。H_m 及 H_a 均从相同基面算起。

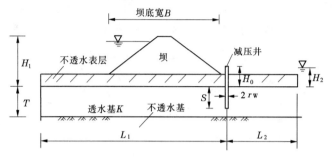

图 4-28　上下游不透水表层为有限长

$$Q_w = \frac{KT(H_p - H_0)}{\dfrac{L_p}{a} + \theta_a} \tag{4-6}$$

$$H_a = \frac{(H_p - H_0)\theta_a}{\dfrac{L_p}{a} + \theta_a} + H_0 \tag{4-7}$$

$$H_m = \frac{(H_p - H_0)\theta_m}{\dfrac{L_p}{a} + \theta_a} + H_0 \tag{4-8}$$

图中和式中　$L_p = \dfrac{L_1 L_2}{L_1 + L_2}$——计算长度,m,相当于将井系换成假想的完整排水窄沟时 L_1 和 L_2 的并联组合,只取决于井系外部几何条件,L_1 及 L_2 分别为不透水表层的上下游边缘与井轴距离,以 m 计;

$H_p = \dfrac{H_1 L_2 + H_2 L_1}{L_1 + L_2}$——测压管计算水位,m,系指

· 83 ·

未设井情况下,在井轴处的测压管水位,m,即 $H_p = \dfrac{H_1 - H_2}{L_1 + L_2} \cdot L_2 + H_2$;

H_1、H_2、H_0——从同一基面计(图 4-28 所示为以不透水表层底面为基面)的上、下游水位及减压井水位(可假定为减压井出水口处水位),以 m 计,H_a 及 H_m 也从相同基面算起;

T——透水基厚,m;

S——减压井进入透水层深度,m;

a——井距,m;

r_w——井的半径(包括井周反滤),m;

K——透水层渗透系数,m/d;

θ_a——θ_a 代表井系平面上平均测压管的水位因数,表示相对于完全排水沟而言,对减压井的附加长度因数(可理解为附加渗径 $= a\theta_a$);

θ_m——位于两个减压井中间的不透水层底面测压管水位因数。

θ_a 是井半径 r_w(m)、井距 a(m)、透水基厚 T(m)和井的贯入度 S/T 的函数,可查图(4-29)所示列线图求得。方法:按已知贯入度 S/T,在图左边纵坐标 S/T 上定一点,与图上部极点 O 相连,得一连线,根据已知的 T/a,在图中相应于 θ_a 的 T/a 线上,定出一点,引与上述连线相平行的平行线,同通过横坐标 a/r_w(已知)的垂线相交,从 θ_a 纵坐标可得出交点的 θ_a。

θ_m 的求法与 θ_a 相同,仅将图上相应于 θ_a 的 T/a 线,改为相应于 θ_m 的 T/a。有关查列线求 θ_a、θ_m 的实例见图 4-30。

式(4-6)～式(4-8)适用于 $\dfrac{L_1}{a}>1,\dfrac{L_2}{a}>1$ 及 $\dfrac{L_1}{T}>2,\dfrac{L_2}{T}>2$ 的情况。以上 H_0 未计入减压井水头损失,如需计入,则应在 H_0 中加上水头损失。

由上游流入的总单宽流量 q_1,与流向下游的单宽流量 q_2 及减压井出流的单宽流 q_0 相互间的关系见式(4-9),其中 q_1、q_2 及 q_0 分别按式(4-10)、式(4-11)及式(4-12)求得。

$$q_2 = q_1 - q_0 \tag{4-9}$$

$$q_1 = \frac{KT(H_1 - H_a)}{L_1} \tag{4-10}$$

$$q_2 = \frac{KT(H_a - H_2)}{L_2} \tag{4-11}$$

$$q_0 = \frac{Q_w}{a} \tag{4-12}$$

式中符号意义同式(4-6)～式(4-8)。

设计排水减压井需进行渗透计算,求得每井出流量 Q_w 以及 H_a、H_m。设减压井设在下游坝趾,要求 H_m 及 H_a 都不超过允许值,不会使不透水表层因受 H_m 或 H_a 顶托,而招致流土破坏。如 H_m、H_a 超过允许值,则应改变井距 a、井径 $2r_w$ 及贯入度 S,使之满足。应指出,如上所述,H_m 是位于井间、直接作用在不透水表层底面的水位,而 H_a 是井系平面的平均测压管水位,虽不直接出现在井轴线不透水表层的底面上,但由于在距井很近的地方,不透水表层底面上的测压管水位即达到 H_a 值。因此,如 $H_a > H_m$,也应加以控制。

H_a 及 H_m 除分别用式(4-7)及式(4-8)计算外,也可直接由列线图 4-29 查得。先根据求出的 L_p/a 及 θ_a,画一连线与图 4-29 上"用 H_a 计算的剩余压力系数 C"斜线相交,求得交点 C,由 $C = \dfrac{H_a - H_0}{H_p - H_0}$,$H_0$ 及 H_p 都已知,故可求得 H_a。如以上求得的 $\theta_m >$

θ_a,则将 C 变为 $C' = C \times \dfrac{\theta_m}{\theta_a}$,再由 $C' = \dfrac{H_m - H_0}{H_p - H_0}$ 求出 H_m。

2)透水基上为有限长或无限长弱透水层(图 4-31)

可将上下游弱透水表层换算成相当于不透水表层的等效长度,按不透水表层公式进行减压井渗透计算。根据不同情况分别计算等效长度如下:

(1)上游弱透水表层为有限长 l_1:按式(4-13)计算等效长度 L_{1r}

$$L_{1r} = \sqrt{\frac{KTt_1}{K_1}} \operatorname{th}\left(\sqrt{\frac{K_1}{KTt_1}} l_1\right) \tag{4-13}$$

式中 T——透水基厚,m;

t_1——上游弱透水表层厚,m;

l_1——上游弱透水表层长,m;

K、K_1——分别为透水基及上游弱透水表层渗透系数,m/d。

(2)上游弱透水表层为无限长(即 $l_1 = \infty$):按式(4-14)计算等效长度 L_{1r}

$$L_{1r} = \sqrt{\frac{KTt_1}{K_1}} \tag{4-14}$$

(3)下游弱透水表层为有限长 l_2:按式(4-15)计算有效长度 L_{2r}

$$L_{2r} = \sqrt{\frac{KTt_2}{K_2}} \operatorname{th}\left(\sqrt{\frac{K_2}{KTt_2}} l_2\right) \tag{4-15}$$

式中 K_2——下游弱透水表层渗透系数,m/d;

l_2——下游弱透水表层长,m;

其余符号意义同上。

(4)下游弱透水表层为无限长(即 $l_2 = \infty$):按式(4-16)计算有

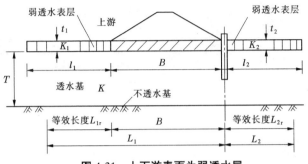

图 4-31 上下游表面为弱透水层

效长度 L_{2r}

$$L_{2r} = \sqrt{\frac{KTt_2}{K_2}} \qquad (4\text{-}16)$$

算得等效长度 L_{1r} 及 L_{2r} 后,可将弱透水表层按不透水表层公式(4-6)～式(4-12)进行减压井渗透计算,但需令

$$L_1 = L_{1r} + B; L_2 = L_{2r}$$

B 为坝底宽(m)。

3)多层地基减压井渗透计算(如地基为多层,见图 4-32)

减压井应进入强透水层一定深度才能发挥减压效果。如不是分层设,而是减压井管全长周围都填反滤,穿透各层,则可将多层转换为单层均质地基按以上公式进行计算。其换算厚度 T_p(m)及换算渗透系数 K_p(m/d)分别按式(4-17)及式(4-18)计算:

$$T_p = \sqrt{\sum_{i=1}^{n}(T_i K_{H_i}) \cdot \sum_{i=1}^{n}(T_i / K_{V_i})} \qquad (4\text{-}17)$$

$$K_p = \sqrt{\frac{\sum\limits_{i=1}^{n}(T_i K_{H_i})}{\sum\limits_{i=1}^{n}(T_i / K_{V_i})}} \qquad (4\text{-}18)$$

式中 T_i——第 i 层地基厚度,m;

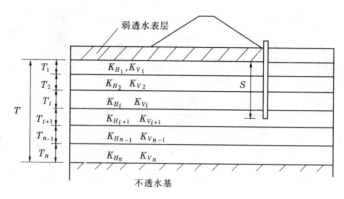

图 4-32 多层地基

K_{H_i}——第 i 层地基水平渗透系数,m/d;

K_{V_i}——第 i 层地基垂直渗透系数,m/d。

井的换算贯入深度 $S_p(m)$ 为:

$$S_p = \frac{\sum\limits_{i=1}^{S} T_i K_{H_i}}{K_p} \tag{4-19}$$

式中,$\sum\limits_{i=1}^{S}$ 表示由弱透水底层至井的底部的总和。可按以上均质透水地基有关公式进行减压井渗透计算,但以 T_p 代 T,K_p 代 K,以 $\dfrac{S_p}{T_p}$ 代贯入度 $\dfrac{S}{T}$。

4)排水减压井的水头损失

精确渗透计算应考虑减压井水头损失 $\sum h_i$,即将以上公式中的 H_0 加上 $\sum h_i$。减压井水头损失 $\sum h_i$ 由 4 部分的水头损失组成:井管外反滤层、过滤管进口、井管摩阻、井口出流。可查阅有关资料计算,不再一一列举。

以上 4 种损失中,一般后两种较前两种大,但当滤层或滤管孔口堵塞时,会导致前两种水头损失剧增,减压井甚至失效,故应保证施工质量。

(四)透水盖重

在表层为弱透水层、下层为强透水层的双层坝基中,蓄水后强透水层渗水下游出口受阻于弱透水表层,产生承压水,如弱透水层厚度不足以压住承压水,可能被顶穿,导致基础破坏。解决措施除设反滤、排水沟或减压井外,也可在下游坝趾铺设透水盖重,保护弱透水表层不被承压水顶破。还可通过经济比较决定采取哪一种处理措施。

透水盖重多由砂、砂砾、石渣、石料等透水料组成,必要时应在与弱透水层接触面铺反滤。透水压盖厚度由计算确定,关键在于计算作用在弱透水层底面的水压力,限于篇幅,仅举上下游弱透水表层为无限长情况为例,阐述其计算方法与步骤。

(1)弱透水表层在上下游延伸无限远,见图 4-33,按式(4-20)计算将弱透水表层变成不透水表层、在上下游方向的等效长度 $l_{等效}$。

$$l_{等效} = \sqrt{\frac{K_2}{K_1} t_1 t_2} \qquad (4-20)$$

式中　K_2、K_1——强、弱透水层渗透系数,m/d;

　　　t_2、t_1——强、弱透水层厚,m;

　　　$l_{等效}$——弱透水层在上下游方向的等效长度,m。

(2)按式(4-21)计算下游坝趾处强透水层中水压力 h_0(以下游水位为基面),见图 4-33。

$$h_0 = \frac{H}{B + 2l_{等效}} \times l_{等效} \qquad (4-21)$$

式中　h_0——下游坝趾处强透水层中高出下游水位的水头,m;

　　　H——上下游水位差,m;

　　　B——坝底宽,m。

(3)用式(4-22)计算离下游坝趾为 x 处的强透水层中水压力

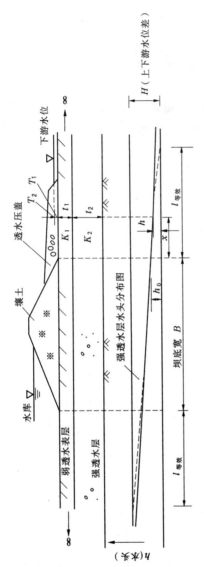

图 4-33　上下游弱透水表层为无限长的坝基强透水层水头分布示意

h, 见图 4-33。

$$h = h_0 \mathrm{e}^{-\left(\frac{1}{l_{\text{等效}}} \cdot x\right)} \tag{4-22}$$

式中 h——离下游坝趾为 x 处强透水层中高出下游水位的水头，m；

      x——离下游坝趾任一距离，m；

      其余符号意义同前。

(4)用式(4-23)通过试算,确定离下游坝趾为 x 处的透水盖重的厚度及需要压盖范围,见图 4-33。

$$\left. \begin{array}{l} \gamma_{\mathrm{w}} \cdot h = \dfrac{1}{n}(t_1 \gamma_1' + T_1 \gamma_2' + T_2 \gamma_2) \\ T = T_1 + T_2 \end{array} \right\} \tag{4-23}$$

式中 h——可先按式(4-22)算出；

      t_1——弱透水层厚,m；

      γ_{w}——水的容重,kN/m^3；

      γ_1'——弱透水层浮容重,kN/m^3；

      T_1、T_2——透水盖重在下游水位以下及以上厚度,m；

      γ_2'、γ_2——透水盖重的浮容重及干容重,kN/m^3；

      n——安全系数,可取 1.5；

      T——透水盖重总厚,m。

第四节   湿陷性黄土

在我国华北及西北地区广泛分布黄土。天然黄土遇水后,其钙质胶结物(如碳酸钙与硫酸钙等)被溶解软化,颗粒之间的粘结力遭到破坏,强度显著降低,土体产生明显沉陷变形。具有遇水沉陷特性的黄土称为湿陷性黄土,作为坝基应该处理,否则蓄水后将由于坝基湿陷使坝体开裂甚至塌滑,引起大坝失事。

一、湿陷性黄土分类

取坝基原状黄土,在试验室 300 kPa 压力作用下,测定浸水后的附加湿陷 Δ_s,按式(4-24)计算湿陷变形系数 δ_s,再按表 4-11 确定是否湿陷性黄土及湿陷程度,供设计判断,并作为处理依据。

$$\delta_s = \frac{\Delta_s}{h_0} \qquad (4\text{-}24)$$

式中　δ_s——湿陷变形系数;

　　　h_0——土样原始高度,mm;

　　　Δ_s——在 300 kPa 压力作用下,土样浸水后湿陷变形,mm。

表 4-11　　　　　　　　黄土的湿陷性分类

名　称		等　级	标　准
非湿陷性黄土		Ⅰ	$\delta_s \leqslant 0.01$
湿陷性黄土	弱湿陷性黄土	Ⅱ	$0.01 < \delta_s \leqslant 0.02$
	中湿陷性黄土	Ⅲ	$0.02 < \delta_s \leqslant 0.07$
	强湿陷性黄土	Ⅳ	$\delta_s > 0.07$

二、湿陷性黄土坝基处理

处理湿陷性黄土坝基应综合考虑黄土层厚、黄土性质和湿陷特性、施工条件及运行要求,通过技术经济比较,择优选定处理方法。常用处理办法有:开挖回填、表面重锤夯实、预先浸水及强力夯实等,分述如下。此外,黄土地区常存在墓坑、窑洞、陷穴和动物巢穴等,均应仔细查清,进行处理。

(一)开挖回填

将坝基湿陷性黄土全部或部分挖除,然后以含水量接近于最优含水量的土料回填,并分层压实,以消除其湿陷性。回填后干密度以及填筑质量控制都同坝体一样。

用该法处理坝基比较彻底可靠,由于经济原因,一般适用于需要处理的土层不太厚的情况,但也有开挖处理湿陷性黄土相当深的工程实例,如山西万家寨引黄工程北干渠调节水库——大梁水库,库容1.03亿 m^3,采用厚黄土心墙坝,由地面算起,坝高达46.5 m,坝基为深厚的 Q_3 湿陷性黄土。设计将心墙以下深达17 m的坝基 Q_3 黄土全部挖除,心墙落在弱湿陷的 Q_2 黄土上,开挖方量达130多万 m^3。

(二)表面重锤夯实

该法是将重锤提到一定高度后再自由落下,重复夯打坝基,增加黄土密实度,改善其物理力学性质,以减小或消除坝基黄土的湿陷性。对于位于地下水位以上,饱和度不超过0.6的黄土,如采用重达2 t以上的重锤夯打,一般夯实厚度能达1~1.5 m。

夯锤重量一般为1.8~3.2 t,为得到较大的夯实深度,应满足以下关系:

$$\left.\begin{array}{l} \dfrac{Q}{A} \geqslant 1.6 \\[3mm] \dfrac{Q}{D} \geqslant 1.8 \end{array}\right\} \qquad (4\text{-}25)$$

式中 Q——锤重,t;

A——锤的底面积, m^2;

D——锤的直径,m。

在实施夯实前,应先进行试夯,查明夯实效果并选定锤重、锤的尺寸、夯锤落距和夯打遍数等夯实参数。

在夯实有效范围内(1~1.5 m)的黄土含水量太高、太低都不易夯实,最好控制在最优含水量 ±2%以内,可以 $0.6\,W_L$(W_L 为土的流限)作为最优含水量进行框算。如含水量低于最优含水量2%以上,夯实前可向坝基坑加水,使夯实范围内黄土含水量达最优含水量。土夯实后的干密度以不低于 1.5 t/m³ 为宜。该法缺点是处理范围浅,可与其他方法如开挖回填法联合使用。

(三)预先浸水法

该法可用以处理强或中等湿陷而厚度又较大的黄土地基。在坝体填筑前,将待处理坝基划分条块,沿其四周筑小土埝,灌水对湿陷性黄土层进行预先浸泡,使在坝体施工前及施工过程中消除大部分湿陷性,保证水库蓄水后的第二次湿陷变形为最小。

上下游处理范围宜超出上下游坝脚以外一定距离。如处理深度超出 15 m,可通过钻孔或竖井进行深层预先加水,以加快浸水过程。坝基浸水后应处理表面因湿陷产生的裂缝,并尽快填筑坝体,不使浸水后的土层干燥,以便在坝体填筑过程中,坝基得到压实,避免运行期出现大的沉降。

在预先浸水过程中应进行必要的观测试验,如量测灌水量;钻孔测定沿土层深度的含水量变化,了解水分自上而下的转移过程,掌握浸湿范围;进行坝基表面沉降观测;进行浸水后黄土的物理力学性试验等。

取坝基黄土原状样,配制不同含水量加荷进行湿陷试验,寻求达到非湿陷土标准的最小含水量,即临界含水量及相应饱和度;结合水源情况及浸水处理时间等综合确定黄土预浸水后所需达到的含水量和饱和度,按式(4-26)计算预先浸水所需水量,在浸水过程中严格控制水量,使浸水后的黄土含水量满足设计要求。

$$Q = \eta A H n_a (S_{r_1} - S_{r_2}) \qquad (4\text{-}26)$$

式中 Q——预先浸水需水量,m³;

η——考虑渗漏与蒸发损失的加大系数,一般采用 1.1～1.2;

A——预浸面积,m²;

H——预先浸水的土层厚,m;

n_a——土的平均孔隙率，$n_a = \dfrac{\sum\limits_{i=1}^{m} h_i n_i}{H}$，$h_i$ 及 n_i 为各分层层厚及孔隙率；

S_{r_1}——预先浸水后需达到的饱和度；

S_{r_2}——天然状态土的饱和度。

(四)强力夯实法

采用比较重的夯锤(锤重一般有 10,15,20,30 t 等几种)以比较大的落距(一般为 10~40 m,视起重设备决定)强力夯击湿陷性黄土坝基以提高其干密度。锤底面积 2~4 m²,锤底留通气孔,减少锤击时空气阻力。夯击影响深度 D 与夯击能量 E 的关系按经验公式(4-27)确定：

$$D = m \sqrt{E} = m \sqrt{QH} \qquad (4\text{-}27)$$

式中　D——强夯加固影响深度,m;

Q——锤重,t;

H——落距,m;

m——经验系数,对于黄土取 0.55。

强夯时按一定间距和排列布置夯击点,连续夯击。开始夯击时,形成一个夯坑,第一击下沉很大,连续夯击,下沉渐减少,待每击小于 3~5 cm 时,停止夯击,为第一遍;停止一段时间,待夯击引起孔隙水压力逐渐消散,再夯击第二遍、第三遍。夯击点按正方形布置,间距 5~15 m,第一遍大些,为夯锤直径的 3~4 倍,第二、三遍夯点间距逐渐减小,最后减至满拍甚至搭接。每一遍夯击数 5~10,夯击遍数与土种类有关,一般为 3 遍,最多达 8 遍。上述夯击点的间距、排列、夯击遍数、每遍击数和每遍间歇时间等施工参数先按类比法初步拟定,再由现场试验性施工确定。

第五节　软土地基

一、综述

软土是指天然含水量大于液限,孔隙比大于 1 的粘性土,其抗剪强度低,压缩性高,透水性小,灵敏度高(灵敏度指原状土样和同一含水量重塑土样的无侧限抗压强度之比),工程特性恶劣,作为坝基可能产生以下问题:①由于强度低,使坝基产生局部塑性破坏和大坝整体滑坡;②出现较大沉降和不均匀沉降,使坝体出现大的纵横向裂缝,破坏整体性;③透水性小,固结缓慢,竣工后坝的沉降将持续很长时间;④因为灵敏度高,施工期间由于扰动会使坝基软土强度迅速降低,导致剪切破坏。软土地基工程特性恶劣,目前主要用于中低坝,根据已有资料,在原软土地基上筑坝,高度一般为几米到十多米,很少超过 20～25 m。国内几座建在软土上的土石坝的有关资料详见表 4-12。这些坝虽然都已建成,但几乎都出现程度不同的裂缝,有些还发生过滑坡,足以反映软土上筑坝的特色。

在软土上筑坝,应保证大坝稳定,防止过大的沉降变形并控制裂缝。首先应认真进行地质勘探和土工试验,查清软土在深度及平面的分布情况,进行十字板剪力试验及标贯测试,配合室内原状样土工试验,查清软土物理力学性指标,如容重、干密度、含水量、流塑限、有机质及可溶盐含量、级配、无侧限抗压强度、抗剪、渗透、压缩等,在此基础上,再研究处理措施。

二、处理方法

在软土地基上筑坝应进行处理以提高其强度,降低压缩性,减少沉降及不均匀沉降,防止产生大的裂缝。常用的处理办法有:开

表 4-12　国内几座软粘土地基土石坝的基本情况

序号	工程名称	坝高 (m)	地质条件	工程情况	地基处理方法	建造时间	运行情况
1	四明湖水库	16.55	第一层为黄褐色或灰色表土,厚 3~5 m;第二层为淤泥质粘土,厚 7 m 左右;以下为砂砾石层,局部地段有厚数十厘米的泥炭	正常库容约 8 000万 m³,坝型原为粘土心墙、壤土坝壳,局部地段的修复时增设粘土斜墙	镇压台法,镇压台长 70 m,厚 6~7 m	1958 年动工,1966 年最终建成	在施工过程中,1959 年和 1960 年发生过两次滑坡;1963 年 8 月基本建成时又发生一次滑坡;建成后运行正常
2	英雄水库	12	第一层为耕土,厚约 1 m;第二层为淤泥质粘土,厚 10 多 m,局部地段有泥炭,最厚处约 1.5 m;第三层为砂层	库容约 1 000万 m³	镇压台法,二级镇压台,成凹形,上游镇压台长 86 m,厚 2.25~6.25 m,下游镇压台长 95 m,厚同上游	1958 年动工,1972 年最终建成	1965 年 7 月,坝高 8 m 时发生一次整体滑动;在修复和继续建过程中,曾发生局部滑坡和裂缝,建成后运行正常

续表 4-12

序号	工程名称	坝高(m)	地质条件	工程情况	地基处理方法	建造时间	运行情况
3	杜湖水库	17.5	第一层为淤泥质粘土,厚约16 m,其中存在粉细砂夹层和含砾粘土透镜体;第二层为中粗砂砾石层,厚度2~5 m,含承压水;第三层为粘土及重粉质粘土,厚10 m;第四层为砾石层	库容2 400万m³,坝型为壤土坝体,粘土斜墙	砂井预压法,砂井深12~14 m,井径42 cm,呈梅花形布置,上下游镇压台分别为31 m和32 m,厚度为5.5 m	1969年动工,1972年基本建成	施工过程中左坝头曾发生裂缝,后期施工中测压管出现承压水,设置减压井后效果良好;历时7年最大沉降量2.796 m;建成后运行正常
4	湖漫水库	21	第一层为粘土,厚约2 m;第二层为砂砾层,厚0.5~1.5 m;第三层为粘土,厚2~3 m;第四层为砂砾层,厚4~4.5 m;第五层为淤泥质粘土,厚7~10 m;以下为砂砾层	库容3 100万m³	镇压台法	1957年10月动工,1958年3月完成第一期工程,坝高14 m,1958年8月开始第二期工程,同年11月最终建成	施工中产生两次垂直裂缝,建成后(1960年和1963年)又产生两次裂缝,裂缝位置均在两端坝头,走向基本上均与山坡线平行,至1976年5月,最大沉陷量2.769 m;建成后运行正常

续表 4-12

序号	工程名称	坝高(m)	地质条件	工程情况	地基处理方法	建造时间	运行情况
5	溪口水库	22.87	第一层为表层土，厚1 m；第二层为壤土厚2～4 m；第三层为淤泥质粘土，厚3～4 m；以下为砂砾层	库容2 000万m³，坝型为粘土心墙、壤土坝壳	镇压台法，随断面不同采用一级或二级镇压台，长20～45 m，高5～7.5 m	1958年8月动工，1960年春完成一期工程，1961年春，坝高14.5 m，1962年冬～1962年春进行第二期工程，坝高18 m，1970年12月～1972年10月进行第三期工程，最终坝高22.87 m(包括1 m子埝)	1962年6月右坝头与山坡相接处曾发生垂直裂缝；进行第三期工程时，1971年1月曾发生纵向裂缝；最大沉陷量1.248 m；建成后运行正常
6	秀岭水库	17.8	第一层为壤土，厚2 m；第二层淤泥质粘土，厚6 m；其中夹有砂层，以下为卵石层	库容1 200万m³，均质坝	镇压台法，上游镇压台长12 m，高5 m；下游长10 m，高4～4.5 m	1956年3月动工，至1957年6月完成第一期工程，坝高12 m；1957年11月～1958年5月进行第二期工程，坝高16.8 m；1973年～1974年春进行加高，最终坝高17.8 m	1957年第一次蓄水后，离右坝端100～190 m处产生横向裂缝，最大沉陷量1.756 m，建成后运行正常

续表 4-12

序号	工程名称	坝高 (m)	地质条件	工程情况	地基处理方法	建造时间	运行情况
7	桐溪水库	13.5	第一层为砂壤土,厚2～4 m;第二层为淤泥质粘土,厚10～15 m;以下为砂砾层	库容 220 万 m³,均质土坝	镇压台法,上游镇压台长 43.3 m,高3.8 m;下游镇压台长48.8 m,高5.2～6.8 m	1956 年冬动工,至1957 年 9 月,坝高9.8 m;1957 年 10月至 1958 年 9 月,坝高 12.5 m;1959～1961 年,加高到13.5 m	1959 年冬枯水位时,坝头与山坡连接处曾产生裂缝,走向与山坡等高线接近平行;内外镇压台与坝坡交接处亦曾产生纵缝;1963～1964 年在原裂缝部位再次产生裂缝,缝深比前次浅;最大沉陷 4.148 m;建成后运行正常

· 100 ·

挖换土、铺排水垫层、设镇压台、打砂井、铺垫土工合成材料、分级填土控制加荷速率等。

(一)开挖换土

如软土不厚,可全部或部分挖除,用土料回填并夯实。如有条件,可用砂、砾石或碎石等回填,防止持力层剪切破坏,还可起排水作用,加速下卧软土固结。通过开挖换土,使受附加应力较大的上部软土被密实的土料所替换,可减少坝基沉降量。

(二)铺排水垫层

直接把排水垫层铺在软土面上,可在干地上或在水下抛填。大面积填筑排水褥垫可防止由于填土引起局部剪切破坏,并可加速在填土荷载作用下软土的排水固结。图 4-34 所示是浙江省胡陈港工程堆石堤断面,堤高 14 m,镇压台厚 4 m,地基上部为淤泥质粘土,厚 4.2 m,含水量 56.8%,天然孔隙比为 1.46,利用砂及石渣排水垫层处理软土地基,获得良好效果。图 4-35 为美国 Pomme de Terre 坝断面,在上游坝基铺排水垫层,既有助于施工期软土基的排水固结,也有利于运行期库水位降落时控制坝体坝基孔隙水压力。

排水垫层厚可采用 0.8～1.5 m,其宽度应大于堤坝底宽。垫层材料一般用砂、砾石、碎石等,要求碎石粒径不超过 10 cm。当采用碎石垫层时,为防软土挤入碎石,影响排水功能,可先填薄层砂作反滤,再填碎石。可应用单向固结理论,推算软土地基不同深度的固结度。

(三)设镇压台

在堤坝两侧用土或砂、砂砾石、石渣等在软土上填成镇压台,形成反压荷载,其示意见图 4-36。镇压台的作用是提高地基抗滑力,防止地基软土侧向挤出而破坏,增加堤坝的抗滑稳定。在镇压台荷载作用下,还使软土坝基产生固结,增加抗剪强度。这种处理方法在国内外用得很广,一般用于坝高不超过 10～15 m,但也有

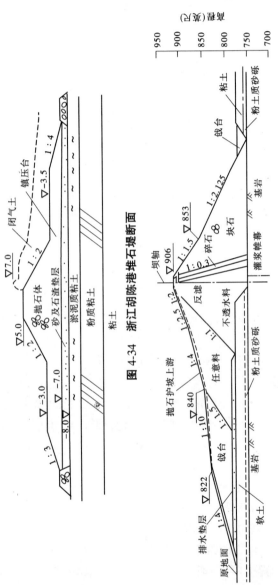

图 4-34 浙江胡陈港堆石堤断面

图 4-35 Pomme de Terre 坝断面

超过的,如图 4-37 所示的古巴 Jibacoa 坝,高约 27.5 m,坝基软土最大深达 55 m,两侧用镇压台处理。镇压台如和水平排水垫层或砂井等联合使用,加快坝基固结,效果更好。如图 4-34 所示的浙江胡陈港堆石堤,便是镇压台与排水垫层联合采用的实例。

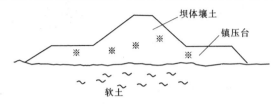

图 4-36 镇压台示意图

镇压台宽度和厚度应通过稳定分析确定。一般情况下其厚度为坝高的 1/3～1/2,如果一级镇压台的厚度超过地基的允许承载力,应改用多级较低的镇压台。镇压台宽度一般为高度的 2～4倍。以上数值供初选时参考,最终由稳定计算确定。

用砂、砾石、石渣等透水料筑镇压台有助于坝基排水固结,如有条件可优先争取。

(四)打砂井

根据一维固结理论,粘土层达到同一固结度所需时间 t 与排水距离 H 成正比,即 $t \propto H$,因此如有条件缩短软土的排水距离 H,就可以平方关系加速土的固结。在软土中打孔,用砂回填形成砂井,上接排水褥垫,分别通向上下游,这样就可缩短软土层排水距离,改善排水条件,使软土中的水,可通过砂井和排水褥垫向外排,在荷载作用下迅速固结,增加抗剪强度,使大部分沉降在填土过程中完成。

在软土深厚固结系数又比较大的情况下,打砂井是一种行之有效的处理措施。如美国 Rough River 坝,为均质土坝,高约 28 m,位于软土上,用砂井处理,成功建成,其断面见图 4-38。又如浙江杜湖水库斜墙土坝(图 4-39)高 17.5 m,坝基为淤泥质粘土,平

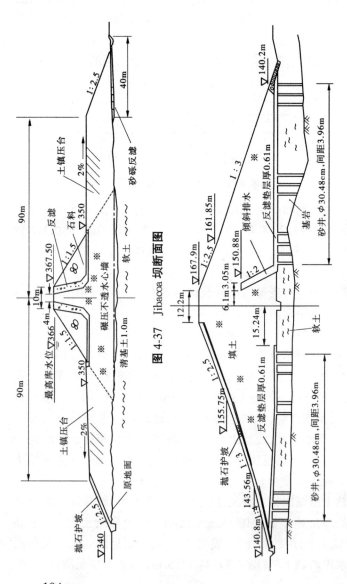

图 4-37 Jibacoa 坝断面图

图 4-38 美国 Rough River 坝断面

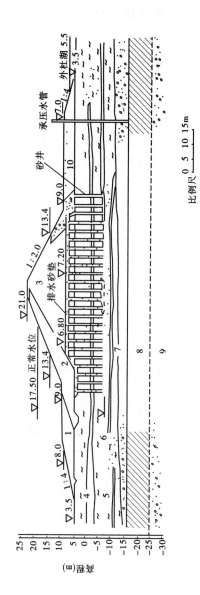

图 4-39 杜湖水库断面

1—上游镇压台;2—粘土斜墙;3—壤土;4—细砂夹少量粘土、砾石;
5—腐殖土;6—淤泥质粘土;7—中粗砂混少量砾石;
8—硬～可塑粉质粘土;9—砾石混少量砂;10—下游镇压台

比例尺 0 5 10 15m

· 105 ·

均厚 15.5 m,十字板剪力试验强度平均为 17.8 kPa,用砂井处理,直径 42 cm,间距 3 m,井深 14 m,当填土至 16 m 时坝基十字板剪力试验强度增至 69 kPa,为天然状态的 4 倍,刚完工时坝基固结度达 80%,处理是成功的。

1.砂井直径、间距、深度、布置和材料

从直观看,井径愈大,井距愈小,对加快软土固结愈有利;但缩短井距效果更显著些,故一般倾向井径小些,间距密些;可是井径太小,使回填砂难以密实和连续,间距太密,使井周围土受挤压扰动而破坏,因此井径和井距的选定还应考虑施工条件。对于打入钢套管设置砂井的情况,井径多采用 30~40 cm,井距与井径之比 n 采用 6~8;如采用袋装砂井,n 可用 15 左右。砂井可按正方形或梅花形(正三角形)分布。

如软土层不太厚,砂井应打穿软土层。如软土比较厚,砂井深度应根据稳定及沉降要求确定,一般希望穿越坝基潜在滑动面和主要受压层。如软土不深,下有砂砾层,砂井可穿透软土直达砂砾层,有利于排水固结。但应先查清砂砾层的水文地质条件,如砂砾层存在明显承压水,或与水库连通,则砂井应打到距砂砾层 2 m 左右,避免成为承压水或库水的通道。为了解决承压水流,可在下游坝趾打减压井。

砂井顶部与排水砂垫层或纵横相互连通的排水砂沟相连。砂垫层或砂沟厚约 1 m,并不小于 0.5 m,砂沟宽约为井距的 2 倍。砂垫层或砂沟不宜上下游连通,应在坝内隔开一段,以防蓄水后变成漏水通道。

砂井及砂垫层所用砂料应具有较好透水性,且与周围软土形成反滤,一般以中粗砂为宜。目前还发展了多种砂井工艺,例如袋装砂芯、排水塑带、塑料排水滤管等,既可保证砂井质量,提高排水能力,又便于施工。

2.骤然加荷情况下的固结度计算

假定大面积骤然施加荷载,计算贯穿整个软土层的砂井经过时间 t 之后的软土固结度。有了固结度,便不难求得已完成的沉降量,并估算其强度。计算假定:①每根砂井为一独立排水系统,其影响范围在平面上为一个圆,整个砂井为一个圆柱,其影响直径 d_e 对正方形及梅花形分布的砂井分别为 $1.128l$ 及 $1.05l$(l 为井距);②荷载为均布,所产生附加应力不随深度而变;③地基土只产生竖向压力变形;④骤然施加荷载后立即由孔隙水承担;⑤固结过程中固结系数为常数,不考虑砂井阻力及砂井施工过程中涂抹作用的影响。

根据以上假定,考虑砂井渗流包括径向和竖向,采用竖向 Z 和径向 r 的圆柱坐标,根据三向固结微分方程,求解竖向排水的平均固结度 $\bar{u}_Z$ 及径向排水平均固结度 $\bar{u}_r$,进行组合后求得每一砂井影响范围内圆柱的平均固结度 $\bar{u}_{rZ}$,这也就是骤然施加荷载,设置完整砂井,经过时间 t 后软土地基的平均固结度。简化后计算公式如下:

$$\bar{u}_Z = 1 - \frac{8}{\pi^2}e^{-\frac{\pi^2}{4}T_V} \tag{4-28}$$

$$\bar{u}_r = 1 - e^{-\frac{8}{F(n)}T_H} \tag{4-29}$$

$$(1 - \bar{u}_{rZ}) = (1 - \bar{u}_r)(1 - \bar{u}_Z) \tag{4-30}$$

一般情况下, $\bar{u}_{rZ} > 30\%$,则 $\bar{u}_{rZ}$ 亦可由下式直接算出:

$$\left.\begin{array}{l} \bar{u}_{rZ} = 1 - \frac{8}{\pi^2}e^{-\beta t} \\[2mm] \beta = \frac{8C_H}{F(n)d_e^2} + \frac{\pi^2 C_V}{4H^2} \end{array}\right\} \tag{4-31}$$

在以上各式中, $T_H = \dfrac{C_H \cdot t}{d_e^2}$; $F(n) = \dfrac{n^2}{n^2-1}\ln(n) - \dfrac{3n^2-1}{4n^2}$;

$$T_V = \frac{C_V \cdot t}{d_e^2}; \quad n = \frac{d_e}{d_w}。$$

式中 d_e——砂井影响直径,cm;对于砂井正方形及梅花形分布
                 分别采用 $1.128l$ 及 $1.05l$, l 为井距,cm;

           d_w——井径,cm;

           t——固结历时,s;

           C_H, C_V——软土的水平向及垂直向固结系数,cm^2/s,取原
                 状土样在试验室确定;

           H——软土层厚,cm,如软土层底有砂砾层,砂井形成上下
                 双向排水,则 H 取软土层厚度的一半;

           $\bar{u}_Z$——竖向排水平均固结度;

           $\bar{u}_r$——径向排水平均固结度;

           $\bar{u}_{rZ}$——软土坝基平均固结度。

由上述公式可见,求骤然加荷后经过时间 t 的固结度与荷载大小无关。

以上也可利用图 4-40,以图解法求历时 t 之后的固结度,步骤:①求 n;②由 n 查图 4-40 左上角解 $n \sim F(n)$ 关系曲线得 $F(n)$;③计算 T_V、T_H;④求 $\frac{8}{F(n)}T_H$;⑤由 $\frac{8}{F(n)}T_H$ 查图 4-40 曲线 1 得径向排水平均固结度 $\bar{u}_r$;⑥由 T_V 查图 4-40 曲线 2 得竖向排水平均固结度 $\bar{u}_Z$;⑦由 $\bar{u}_{rZ} = 1 - (1 - \bar{u}_r)(1 - \bar{u}_Z)$ 得坝基平均固结度。n、$F(n)$、T_H、T_V 计算公式如以上所述。

在坝不高(如低于 10 m),一次填到顶时,可假定填土荷载是骤然加上,以实际填筑所需时间 T 的一半,作为骤然加荷后经历的时间 t,用以上公式(4-28)~式(4-31)计算或查图 4-40 得相应于 t 的坝基平均固结度,即填土刚完工(填筑时间为 T)时的固结度。

3.逐渐加荷情况下的固结度计算

由于填土多半是分级施工,有时中间还停顿一个时候再填,使

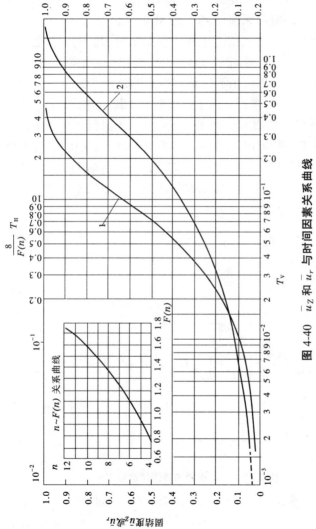

图 4-40 $\bar{u}_Z$ 和 $\bar{u}_r$ 与时间因素关系曲线

$1—\bar{u}_r \sim \dfrac{8}{F(n)} T_H$ 关系曲线;$2—\bar{u}_Z \sim T_V$ 关系曲线

坝基固结增加强度。因此应对以上骤然加荷所得固结度与历时关系进行修正。图 4-41 中虚线 1 为骤然加荷(与荷载大小无关)的理论固结度与历时关系曲线;实线 2 代表一级等速逐渐加荷 $0 \rightarrow P$,经过修正后的实际固结度与历时关系曲线。修正办法:假定图 4-41 所示的等速加荷时间 T_1 以内的任一时刻 t(相应荷载为 P_t)的固结度 u_t,等于骤然加荷 P_t 后历时 $t/2$ 的固结度 $u_{t/2}$(如图 4-41 上的 A 点),为了求得对应于一级最终荷载 P_1 的固结度,则应乘以比值 P_t/P_1(如图 4-41 上的 A' 点)。如果时间 t' 大于一级逐渐加荷历时 T_1,相应于 t' 的固结度(如图 4-41 上的 B' 点)等于骤然加荷 P_1 经时间 $(t' - T_1/2)$ 后的固结度 $u_{(t'-T_1/2)}$(如图 4-41 上的 B 点),综合以上可将一级逐渐加荷的实际固结度计算总结如下:

当 $0 < t < T_1$ 时, $\qquad u_t = u_{t/2} \cdot \dfrac{P_t}{P_1}$

当 $t > T_1$ 时, $\qquad u_t = u_{(t'-T_1/2)}$

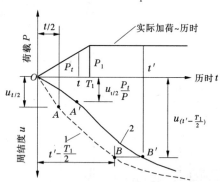

图 4-41 一级逐渐加荷固结度修正

同理也可求出多级填土且有停顿情况下的固结度(图 4-42)。认为任一时间 t 总荷载 P_0 作用下的固结度等于各级分荷载 ΔP_1、ΔP_2、ΔP_3 经修正后的固结度之和。和一级逐渐加荷一样,各级修

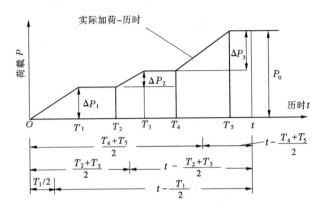

图 4-42 分级多次逐渐加荷图

正后的固结度等于取该级加荷时间的一半,加上加荷之后的历时,以此查得相应的骤然加荷的固结度,并按各级荷载 ΔP 与总荷载 P_0 的比例 $\dfrac{\Delta P}{P_0}$ 折减求得,可以表达如下(图 4-42):

$$u_t = u_{\left(t - \frac{T_1}{2}\right)} \cdot \frac{\Delta P_1}{P_0} + u_{\left(t - \frac{T_2 + T_3}{2}\right)} \cdot \frac{\Delta P_2}{P_0} + u_{\left(t - \frac{T_4 + T_5}{2}\right)} \cdot \frac{\Delta P_3}{P_0}$$

可以归纳为如下通式:

$$u_t = \sum_{i=1}^{n} u_{\left(t - \frac{T_{i-1} + T_i}{2}\right)} \cdot \frac{\Delta P_i}{P_i} \tag{4-32}$$

式中,u_t 为历时 t,荷载由 0 分级加至 P_i 修正后的固结度;$u_{\left(t - \frac{T_{i-1} + T_i}{2}\right)}$ 为骤然加荷历时($t - \dfrac{T_{i-1} + T_i}{2}$)的固结度;$T_{i-1}$ 和 T_i 为第 i 级始点和终点时间,ΔP_i 为 i 级荷载增量。这样,已知填土过程,便可求得任一时刻 t 或刚完工时坝基平均固结度。

  4.砂井未打穿整个软土层的固结度计算

  如软土较厚,砂井未穿透,成悬挂式(图 4-43),其固结度计算如式(4-33):

$$\bar{u} = P_w \cdot \bar{u}_{rZ'} + (1 - P_w)\bar{u}_{Z'} \tag{4-33}$$

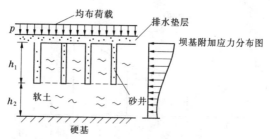

图 4-43　未打穿软土层的砂井

式中　$\bar{u}$——未打穿软土层的砂井地基固结度；

$$P_w = \frac{h_1}{h_1 + h_2};$$

$\bar{u}_{rZ'}$——以层厚为 h_1，按完整砂井，用上述竖向和径向组合固结度公式(或图解法)算得坝基平均固结度；

$\bar{u}_{Z'}$——按竖向单面排水(如软土底部是砂砾为双面排水)固结公式计算的固结度，但排水途径用 h_2' 而不用 h_2(因考虑顶部有砂井，不同于半无限体排水层)。

其中　　　$$h_2' = (1 - \alpha P_w)(h_1 + h_2)$$

$$\alpha = 1 - \sqrt{1/(1 - b)} \qquad b = B_r / B_Z$$

$$B_r = \frac{8C_H}{F(n)d_e^2} \qquad B_Z = \frac{\pi^2 C_V}{4\,{h_2'}^2}$$

C_H、C_V、$F(n)$、d_e 各符号意义同式(4-28)～式(4-31)。

(五)铺垫土工合成材料

在位于软基上的堤坝底面铺设土工合成材料(土工织物、土工网、土工格栅、土工席垫等)和砂石等组成加筋垫层，使基底保持完整连续，约束浅层地基软土的侧向变形，改善软基浅部的应力分布，提高地基强度和承载力，加强抗滑稳定，并调整不均匀沉降。此外，在软土地基与坝体之间铺设土工织物可以加速地基土的排水固结。该法如与上述其他方法联合作用，则处理效果更为显著。

(六)分级填土,控制加荷速率

对于软土层不太厚(小于 5～10 m)、固结系数 C_V 较大(大于 1×10^{-2} cm²/s)、且工期允许的情况,亦可采取分级填土,间歇停填,控制加荷速率,使坝基软土有足够时间排水固结,强度随填土加高而大体同步增加。施工期,应在坝脚设边桩,观测地基水平位移,其允许水平位移速率与软土性质、地基处理方法及加载方式有关,应参照已成工程经验确定。此外,还应设置地面沉降观测,监视地面沉降速率,一般可采用小于 10 mm/d 进行控制,如有条件应进行坝基孔隙水压力观测,直接监控坝基软土的变形和强度变化情况。

对于软土层厚度大于 10 m,固结系数 C_V 小于 1×10^{-3} cm²/s 的情况,单纯依靠分级填土,控制加荷速率的办法处理软土坝基,所需排水固结时间较长,宜采用以上其他处理办法。但应强调,不论采用哪一种处理方法,都应控制填土速率,施工期对坝基软土进行如上所述的各种观测,严密监控,否则同样会导致失事。

第六节　易液化砂土

松散的饱和无粘性土(如砂和含少量砾的砂等)和少粘性土(如轻砂壤土)坝基,在地震或爆破震动作用下体积有压密趋势,由于历时短暂,可能来不及排水固结,产生孔隙水压力,使通过土粒传递土体重的有效应力大为减少,甚至等于零,这就是液化现象,使坝基抗剪强度大减,在填土荷载作用下产生剪切破坏,导致滑坡。对液化砂土坝基必须进行处理。

一、影响因素

影响液化因素较多,包括:①土壤类别,不均匀系数小于 10、密实度低的中细砂或粉砂,以及粘粒含量小于 15%、密实度低的少粘性土,如轻壤土、砂壤土、轻粉质砂壤土等,都容易发生液化。图 4-44 给出国内水工及工民建工程产生过液化的各种少粘性土在土壤三角分类图上的位置,可供参考。对于 5mm 砾石含量超过 70%的砂砾及粘粒含量超过 15%的粘性土不易液化。②紧密度,土体愈密实,振动压密趋势愈小,液化可能性也小。③土体的起始应力:坝基土体的围压 σ_3 及固结比 σ_1/σ_3(σ_1 为竖向压力)愈大,土粒相互间压得就愈紧,振动时土粒愈不容易脱开,便大大降低振动引起的孔隙水压力,防止产生液化。④排水条件:如坝基排水条件好,振动产生的孔隙水压力容易消散,液化程度也低。⑤地震强度及持续时间:液化程度随地震(或引起震动的其他原因如爆破等)强度及持续时间增加而提高。

二、判别标准

(一)标准贯入击数

当坝基以下深为 d_s(m)处的饱和砂土或饱和少粘性土的标准贯入击数 N 小于按式(4-34)算出的液化临界锤击数 N_{cr} 时,可判为液化土,否则为不液化土。

$$N_{cr} = N_0[0.9 + 0.1(d_s - d_w)]\sqrt{\frac{3}{\rho_c}} \qquad (4\text{-}34)$$

式中 d_s——标准贯入点在地面以下的深度,m;

      d_w——地下水位深度,m,当地面淹没于水面以下时 d_w 取 0;

      ρ_c——土的粘粒(<0.005 mm)含量重量百分率(%);当 ρ_c(%)<3 时,ρ_c(%)取 3,ρ_c 应用六偏磷酸钠作分散剂测定;

      N_0——当 $d_s=3$ m,$d_w=2$ m,ρ_c(%)$\leqslant 3$ 时饱和液化临界标准贯入击数,当设计烈度为 7,8,9 度时,N_0 分别为 6,10,16。

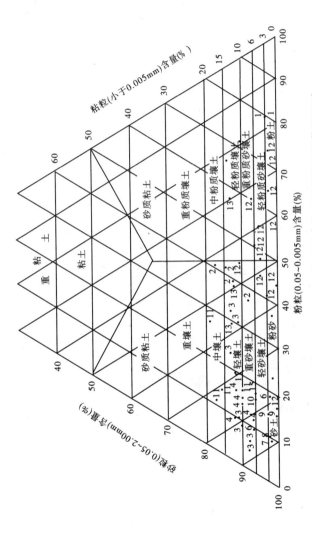

图 4-44 国内水工及工民建地基地震液化土层颗粒粒径范围图系列

1—西克尔土坝地基（Ⅱ度强）；2—邢台旧城闸漕河堤基（Ⅶ度）；3—邢台联庄柞淦阳河堤基（Ⅶ度）；4—邢台双台子河闸地基（Ⅶ度）；5—辽南八家子排灌站地基（Ⅶ度）；6—辽南花齐闸河堤基（Ⅶ度）；7—辽南河沿排灌站地基（Ⅶ度）；8—辽南双台子河地基（Ⅶ度强）；9—辽河两岸喷砂（Ⅱ度强）；10—辽南王家坎坝基喷砂（Ⅶ度）；11—营口房屋地基（Ⅶ度）；12—天津房屋地基（Ⅶ度强）；13—岭河水库地基（Ⅶ度强）

应说明：①式(4-34)只适用于 $d_s < 15$ m，若 d_s 超过 15 m，应用其他有足够根据的方法进行判别；②如 $d_s < 5$ m，用式(4-34)计算 N_{cr}，应采用 $d_s = 5$ m。

如实际进行标贯试验时，深度为 d_s'、d_w'，相应的实测标贯击数为 N'，可用式(4-35)推得工程运用时另外一个点其地面下深度为 d_s，地下水深度为 d_w 的标贯击数 N，并以 N 代 N' 来与 N_{cr} 对比，以判断是否液化。

$$N = N'\left(\frac{d_s + 0.9d_w + 0.7}{d_s' + 0.9d_w' + 0.7}\right) \tag{4-35}$$

(二)相对密度

当饱和无粘性土的相对密度 $D_r(\%)$ 值小于表 4-13 中的液化临界相对密度 $(D_r)_{cr}(\%)$ 时，可判为可能液化土，反之为不液化土。

表 4-13　　　　　　　饱和无粘性土液化临界相对密度

地震烈度	6 度	7 度	8 度	9 度
$(D_r)_{cr}(\%)$	65	70	75	80~85

(三)饱和含水量及液性指数

当饱和少粘性土的饱和含水量 $W_s \geqslant (0.9 \sim 1.0)W_L$（$W_L$ 为液限）时，或液性指数 $I_L \geqslant 0.75 \sim 1.0$ 时，可判为可能液化土，否则为不液化土。

三、处理措施

坝基砂土如被判别为可能液化，应采取处理措施，可行办法如下。

(一)换砂

如液化土不深，可挖除后回填砂土，碾压至要求的密实度。

(二)表面压密

对厚度不大的饱和松砂,坝基可以用履带式拖拉机或振动碾碾压,利用振动力使之压密。也可用重锤夯实,锤重一般用 1～2 t,落距 3～4 m,有效夯实深度可达 1.2 m。对于稍湿无粘性土也适用该法。

(三)强夯法

利用重锤(10～30 t 不等)从高处(一般为 10～40 m)落下的冲击力,反复多次夯击地面。强大冲击力在坝基中产生应力和振动,使浅层和深层的液化砂土都得到密实加固。夯击点间距、排列、夯击遍数等施工参数先参照已成工程类比拟定,再由现场试验性施工确定。

(四)加重和围封

在上下游坝脚设镇压台,增加坝基砂土的粒间接触压力,提高其起始应力,震动时可防止或减弱液化。取坝基原状砂土在室内进行震动液化试验,确定所需增加的压力,以此规划镇压台的尺寸。设镇压台还可增加坝坡稳定。

结合坝基的防渗和排水,分别在上游坝脚设不透水截墙,在下游坝脚设透水截墙,使液化砂土围封,防止因震动液化使砂土流失。

(五)爆炸加密

在砂层深处埋炸药引爆,由于爆炸产生强大震动力使砂层密实。药包埋深约为处理深度的 2/3,用药量、孔距、爆炸顺序和次序由现场试验确定。每孔用药量按式(4-36)初定:

$$q = Kh^3 \tag{4-36}$$

式中 q——每孔用药量,kg;

h——炸药埋深,m;

K——与炸药及砂土性质有关的系数,由现场试验确定,一般为 0.03～0.06。

根据经验,认为用5kg的6号硝铵炸药埋深4.5～5m,压密效果最好,压密层可达7～8m。炮孔间距通常为埋深的3～4倍,爆炸3～5次,分批、分散、循序爆炸,较一次爆炸效果好。

爆炸加密对饱和疏松中粗砂效果好,对于相对密度达0.5的中密砂、细砂,效果不好,对少粘性土不适用。采用该法处理坝基松砂的工程实例有:安徽花凉亭和横排头、河南鸭河口、内蒙古红山等水库工程,都取得成功。

(六)砂桩挤密法

以带有活瓣头尖的钢管打入坝基松砂,使其挤密,提高密实度至设计要求值,然后逐渐拔管,边拔边回填粗砂或砾石等。根据砂基挤密前后孔隙比和桩径,可算出桩距,一般桩距不超过桩径的3.5倍。如松砂层不厚,桩长可贯穿砂层;如松砂层较厚,桩长视设计要求而定。砂桩范围应超出上下游坝脚以外一定距离。该法适于松砂坝基,对饱和粘性土基效果不好。

(七)振冲加固

利用类似于插入式混凝土振捣器的专门振冲器(直径274～426mm、长2 000～3 000mm,自重7.8～20.5kN),用起重机吊起,再向砂基沉放,边沉边喷高压水(振冲水压＞400kPa,需水量200～400L/min),振冲器产生强烈振动和高压水联合作用,使周围砂土颗料间的摩擦力迅速减小,出现短暂液化,土粒重新紧密排列,减少孔隙比,增加干密度,达到抗液化目的,这就是单纯振动挤密法,对于疏松中粗砂可直接用该法提高紧密度;对于细砂、粉砂,还应在上提振冲器过程中向孔内填放粗砂、砂石等填料(粒径以5～40 mm为好),形成振冲桩,桩径0.6～1.1 m,可提高承载力,加强坝基排水,施工示意见图4-45。第一步,向下投放振冲器;第二步,投放到孔底;第三步,上提振冲器,边上提边填料;第四步,形成振冲桩。

振冲挤密法主要用于处理砂性土,要求粘粒含量小于10%,

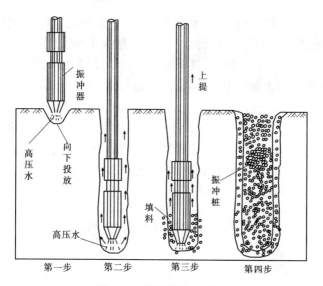

图 4-45　振冲桩施工过程

若大于 30%,挤密效果大减。适于进行振冲挤密的土类范围见图
4-46。

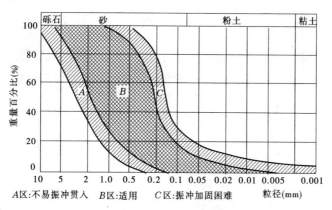

A区:不易振冲贯入　　B区:适用　　C区:振冲加固困难

图 4-46　振冲挤密法适用的地基颗粒级配曲线

振冲孔以梅花形(正三角形)布置为好,孔距取决于砂的级配、

紧密度要求及振冲器的功率,一般为 1.2~2.5m。关于振冲孔深,若坝基松砂层不厚,应穿透;若较厚,根据设计对坝基稳定、沉降要求确定。加固后应进行标贯试验检查,不少于 5 个孔,每层土不少于 15 个标贯击数。振冲加固处理范围应在坝基轮廓线以外加 2~3 排。

实践证明,以振冲法加固松砂坝基能取得良好效果。如官厅水库,为提高抗震稳定,对下游坝脚细砂层进行振冲加固,标贯击数由处理前的 12.5 击提高到处理后 33.8~37 击,大大提高了砂基抗液化能力,取得预期效果。

第七节　岸坡连接

土石坝与岸坡连接设计应满足以下 3 个要求:①避免由于不均匀沉降使坝体产生横向裂缝;②防止因绕坝渗流及土石坝防渗体与岸坡接触面渗流而产生管涌冲刷等渗流破坏;③保证岸坡稳定。

一、关于防止坝体产生横向裂缝

土石坝与岸坡连接处往往由于不均匀沉降产生垂直于坝轴方向的横缝,蓄水后将形成漏水通道,产生管涌,招致失事。设计时应该选择适宜的接头坡度,防渗体应采用抗管涌性能强的土料,并碾压密实,防止产生横缝。

(一)关于接头坡度

接头坡度过陡,将使坝体填土发生较大的不均匀沉降而产生横缝,同时引起拱效应使岸坡接头处的坝体下部产生低应力区,导致水力劈裂。根据实践经验,如岸坡为岩基,要求不陡于 1:0.5(竖:横),同时不要出现局部岸坡突变。实践证明,此处最易产生横缝,应控制变角 $\theta < 20°$,见图 4-47,不允许存在台阶式和倒悬

坡。如遇倒坡，或用爆破消除，或回填混凝土使成正坡（最好不用浆砌块石回填，因浆砌块石有缝隙，蓄水后可能形成漏水通道）。应力求清理后岸坡平顺均匀，无明显凹凸不平或突变，这比单纯追求平均岸坡不超过规定值更为重要，如能达到以上

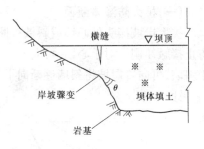

图 4-47　岸坡骤变接头纵断面示意

要求，国外有些工程甚至岸坡至 $1:0.2\sim1:0.3$ 而未出现横缝。

岸坡若为土基，则土石坝不均匀沉降值不仅取决于坝体填土本身，还与土基压缩有关，岸坡接头要求更缓，一般不要超过 $1:1.5$，黄土岸坡要求更缓，需专门研究。

(二)适当选择岸坡坝体填土料及填筑标准

岸坡接头部位的坝体填土应具有抗裂性高、不易管涌等特点，最好挑选粘粒含量不低于 $15\%\sim20\%$，塑性指数不低于 20% 的重壤土或重粉质壤土，作为坝体填料。在接头部位，坝体下部填土受较大的自重压力，固结沉降量相对也大，故应尽量提高填土干密度，降低压缩性，减少坝顶总沉降量，而坝体顶部土受自重压力较小，产生的沉降量相对不大，对密实度及压缩性要求比下部填土略低，但此处却是容易出现横缝的部位，故应强调填土塑性，以适应变形防止开裂，因此可控制上坝土料含水量比最优含水量高 1% $\sim2\%$，而碾压干密度可略比下部填土低。

二、岸坡接头的渗流稳定

岸坡接头容易产生渗流破坏，形式通常有：①渗水沿坝体填土与岸坡接触面发生集中冲刷；②通过坝体横缝产生集中渗漏；③发生严重绕坝渗漏。可采取如下一些结构措施，保证接头渗流稳定。

(一)扩大防渗体断面

扩大岸坡接头处心墙或斜墙等防渗体断面,以延长接触渗径,防止接触冲刷。对于心墙,可向着岸坡逐渐放缓心墙上下游坡;对于斜墙,可向着岸坡将斜墙逐渐向下游扩展加厚,到岸边变成厚心墙,见图4-48。

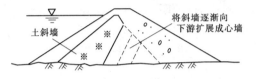

图4-48 斜墙扩展示意

(二)局部加厚防渗体上下游面反滤

如坝体产生横缝导致渗漏,加厚下游面反滤,可防止土粒不被渗水带走,横缝不致扩大,最后坍塌自愈。加厚上游面反滤,可使其随渗水进入横缝,冲填封闭。

(三)延长坝肩绕流渗径

对于基岩岸坡可设灌浆帷幕,并向岸内延伸,见图4-49。延伸长度及岸坡范围内的帷幕深度,可通过三向绕流计算确定,岸坡范围的帷幕深度虽可比河床段浅,但也不宜太浅,因岸坡渗流不是平面而是三向,其作用水头仍等于上下游水头差(水头差同河床段一样,只是渗径长些),而不等于岸坡段坝高,故不宜随岸坡段坝高迅速降低而急剧地减少帷幕深度,以致降低延长渗径的作用。如官厅水库,左岸为透水性较强的灰岩,由于把岸坡段水头看成与坝高相同,迅速降低灌浆帷幕深度,变成悬挂式,成为运行初期产生严重绕坝渗流的一个重要原因。

必要时还可在下游设置方向垂直于岩石主裂隙走向的排水洞(图4-49),降低岸坡下游出逸面,增加岸坡和大坝抗滑稳定。

若岸坡由透水性较强的坡残积土组成,如不厚,可挖除,使防渗体直接与岩基连接,再做帷幕灌浆。如厚,可设混凝土防渗墙截

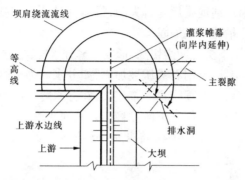

图 4-49　土坝与岸坡接头灌浆帷幕及排水布置

断坡残积土层,亦可在坝肩上游设粘土铺盖与大坝防渗体及河床段铺盖相连,形成盆状防渗,并在下游设贴坡排水,与大坝下游排水连成排水网,见图 4-50。贴坡式排水设置高程及沿岸坡向下游延伸的长度,均由三向绕流计算决定,要求铺至渗流出逸比降低于允许值为止。

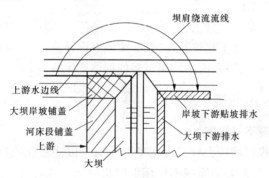

图 4-50　坝肩岸坡处上游铺盖及下游贴坡排水示意

三、岸坡抗滑稳定

应确保岸坡稳定,防止蓄水后坍滑危及大坝安全。首先应查明与土石坝连接的岸坡上下游是否存在滑坡体或软弱夹层等地质构造,蓄水后或遇地震后是否失稳,如会,应挖成稳定坡或加压戗等,采取综合措施予以加固。

如岸坡上下游有冲沟切割,形成单薄分水岭,与土石坝相接应将其削成稳定坡,或用石渣压坡加固,如分水岭为裂隙发育岩石,可设灌浆帷幕,与大坝帷幕灌浆连接;在分水岭下游侧设排水洞,降低分水岭浸润线,保证下游侧稳定。黄河小浪底水利枢纽左岸的单薄分水岭就是采用帷幕灌浆加下游排水及石渣压戗等综合处理,保证其稳定。

四、岸坡与填土结合面处理

沿结合面应进行清理,详见本章第一节岩石地基及第二节一般土基。

第八节　与混凝土建筑物的连接

土石坝常与混凝土挡水坝、混凝土溢流坝、岸边溢洪道、船闸、坝下埋管等混凝土建筑物连接,必须搞好设计施工,防止沿接触面产生集中渗流,以及因不均匀沉降使坝体产生裂缝。

一、常用的接头型式

(一)渐下式翼墙

渐下式翼墙接头型式示意见图 4-51。以往常在墙后设刺墙,以延长渗径,但刺墙周围不好用大型机械碾压,需用小型机具,如蛙式夯或电动夯等,靠人工压实,这样既影响施工进度,又使接触面填土质量难以保证,故近年来改为扩大与翼墙接触处的防渗体断面来延长渗径,或沿接触面酌设 1~2 道短肋墙。防渗体与侧墙接合坡,最好不陡于 1:0.25。

(二)插入式重力墙

插入式重力墙接头平面示意见图4-52。将重力墙向土坝延伸(刺墙)以延长渗径,延伸长度视土料而定,可采用$0.1～0.3H$(H为上下游水头差)。

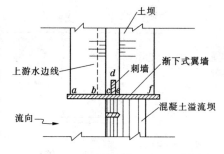

图4-51 渐下式翼墙接头平面布置示意

(三)L型重力墙

L型重力墙接头的平面示意见图4-53。这种接头其上游折向土坝,与裹头连接,在平面上呈L型,山西省汾河水库大坝与溢洪道接头就是采用这种型式,其重力墙高约25 m。

对于中低坝多采用渐下式翼墙和L型重力墙的接头型式,对高坝多采用插入式重力墙接头。

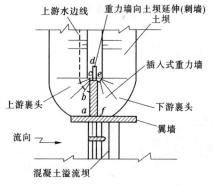

图4-52 插入式重力墙接头平面布置示意

二、接头布置的优化

对于插入式及L型接头可考虑上游裹头采用抗剪强度较大的堆石或石渣填筑,使与重力墙接触面坡度变陡,以减少插入裹头的重力墙长度,节省混凝土方量。

如混凝土溢流坝在靠近接头处未设底孔时,在不影响表孔泄流的前提下,可将上游裹头伸进溢流坝下面(图4-54),同样可缩短插入坝体的重力墙长度,减少混凝土方量。河南板桥水库复建

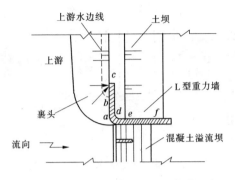

图 4-53　L 型重力墙接头平面布置示意

工程的混凝土溢流坝与两岸土坝连接设计,就采用了以上两种措施,节省了插入式重力墙的混凝土方量。

在插入式接头设置上下游翼墙挡住坝体,也可以缩短插入坝体的重力墙长度,

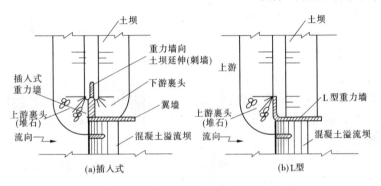

图 4-54　插入式及 L 型重力墙优化示意

但却相应增加翼墙的混凝土方量。因此,采用这种布置应通过经济比较,选定合适的翼墙高度和插入式重力墙长度。

三、提高接头渗流稳定的措施

(1)在距填土与重力墙接触面 1～2 m 范围内最好选用粘粒含量大于 20%、抗管涌性能较好的土料进行填筑,以小型碾压机具仔细碾压密实。

(2)在与混凝土建筑物连接处,适当扩大心墙或斜墙等防渗体

断面以延长接触渗径。

(3)与填土相接触的重力墙坡度最好不陡于1:0.25,以利与填土结合,防止因不均匀沉降而出现裂缝。

(4)沿着土坝与接头重力墙的接触渗流入渗段(见图4-51、图4-52、图4-53的 ab 段)和出渗段(见以上各图的 ef 段)铺设的反滤要局部加厚,万一沿接触面出现裂缝,入渗段反滤可起冲填自愈作用,而出渗段反滤可阻拦土粒被渗水带走。

四、关于坝下埋管

土石坝坝下埋管应尽量设在基岩上,防止因不均匀沉降导致管身开裂漏水,冲刷坝体。为了延长接触渗径,以往多沿涵管与防渗体接触面设3道以上截流环,反而给截流环周围填土压实带来困难,使土压不密实。近来倾向于取消截流环(或最多在埋管间设一道截流环),而局部扩大与涵管连接的防渗体断面,可同样达到延长渗径的目的。在涵管从防渗体出来的下游出口处,加厚反滤层,以防止由涵管外漏的渗水将土粒带走。

设在土基上的坝下埋管,最好限在中低坝,且最好为明流,如为压力流,宜将涵管放于埋于坝下的廊道中,以免万一管间止水出毛病,压力水直接外渗,冲刷管周的填土。此外,还可便于观测检修。土基上埋管,每节管长应短些,做好管段间沉降缝。管短些可以适应基础沉降,使每节管沉降后的接缝开度小些,当然也不能过短,增加沉降缝数量。根据美国建在压缩性土基上、坝高为6～15.5m、土基厚为3～15m的20座坝下埋管资料统计,每节管长3～5m,接缝开度为0.25～2.3cm。

第五章 坝体结构

第一节 坝 坡

影响坝坡的因素主要有坝型、坝高、筑坝土料、坝基工程地质条件及施工和运用。

一、坝型及坝高

均质坝坝坡最缓;心墙坝上下游多为透水坝壳,故上下游坝坡都比较陡;土质斜墙坝则因斜墙采用粘性土,故其上游坡较下游坡缓,而下游坡略比心墙坝陡或相近。多种土质坝坝坡与土料分区部位及各区的性质有关。根据实践经验,坝高大于 $10\sim13\text{m}$ 时可分级采用不同坡度,一般上陡下缓,对于堆石或石渣也可采用一个坡度。如有抗震要求,由于坝顶地震加速度比坝基大,因而在强震区也有将坝坡设计成上缓下陡。

二、筑坝土料性质,坝基工程地质条件

如坝体和坝基材料抗剪强度高,压缩性低,则坝坡陡,反之则缓。坝基如有软弱夹层、软土或易液化土,则坝坡要缓,必要时还要在上下游坝脚设镇压台增加稳定。

三、施工及运用要求

对于均质土坝,施工期孔隙水压力通常较大,如填筑速度快,施工期孔隙水压力不易消散,坝坡要缓些。水库运用条件也影响

坝坡,如存在水库快速降落运用条件,对上游坝坡稳定不利,需要较缓坝坡。

根据检修、观测、施工及道路交通等要求,通常土石坝沿上下游坝坡每隔10～30m高差设一个马道,宽度视要求而定,但不小于1.5～2m。结合施工与上坝道路需要,也可设斜马道。如用混凝土板或抛石护坡,设马道不便施工,可以取消。

一般先参照已有类似工程拟定坝坡,后通过坝坡稳定计算确定。如沿坝长方向筑坝材料和坝基地质条件都不相同,可以沿坝长采用不同坝坡,相互间以渐变段过渡。

第二节　防渗体

一、防渗体尺寸

土质防渗体的尺寸应满足控制渗透比降和渗流量要求,还要便于施工。如采用机械化施工,心墙或斜墙顶宽不小于3m,其最小底宽取决于防渗土料的允许水力比降,因采用土料而异,对于粘土为$(1/5～1/6)H$,壤土为$(1/4～1/5)H$,轻壤土为$(1/3～1/4)H$,其中H为上下游水头。只要土料充足,性质合格,单价适宜,降雨天数不是太多,对防渗体尺寸不要采用太小,这对增加渗透稳定性、减少渗流量、降低裂缝所引起的危害,提高抗震能力都有好处。应指出,对于过狭的心墙(譬如心墙上下游边坡陡于1:0.1),当透水坝壳比较密实,施工期已基本沉降完,而土质心墙竣工后,还要继续沉降,则坝壳可能阻止心墙沉降产生拱效应,降低心墙由自重而产生的垂直力,形成低应力区,蓄水后引起水力劈裂。反之,如坝壳过松,蓄水后产生较大沉降,又可能拖曳狭心墙,产生平行于坝轴的纵向裂缝。根据国内外121座心墙或斜心墙统计,大部分底宽在$(1～1/3)H$范围。根据28座斜墙坝的统计,底宽大部分在(1/2～1/6)H 范围内。固然心墙宽对边坡稳定不利,但经验表明,如心墙的上下游坡不缓于 1:0.25～1:0.5,对边坡稳定影响不太大。当然应结合具体工程,通过稳定分析和技术经济比较,最后确定防渗体尺寸。

二、防渗体超高

防渗体顶部在静水位以上超高,对于正常运用情况(如正常蓄水位、设计洪水位),心墙为 0.3～0.6m,斜墙为 0.6～0.8m;而对于非常运用水位(如校核洪水位),防渗体顶高应不低于非常运用的静水位。如防渗体顶部设有稳定坚固、不透水又与防渗体紧密连接的防浪墙,则防渗体顶部高程不低于正常运用的静水位即可。

三、防渗体保护层

土质防渗体顶部和土质斜墙上游应设保护层,防止冰冻和干裂。保护层可采用砂、砂砾或碎石,其厚度不小于该地区冻深或干燥深度。

第三节　坝顶超高

一、坝顶超高及坝顶高程

(一)坝顶超高

坝顶超高是指坝顶高于静水位(正常或非常运用)的高度。以往计算超高公式中多包括风壅水面高度,由于该值不大,一般不到10cm,故可忽略,坝顶超高由式(5-1)确定:

$$Y = R + A \qquad\qquad (5\text{-}1)$$

式中　Y——坝顶在静水位以上的超高,m;

R——风浪沿着坝坡的最大爬高,m,根据风速 W、吹程

D、上游边坡 m 及护坡材料等由计算确定,详见下述;

A——安全加高,m,根据坝等级和运用条件按表 5-1 确定。

表 5-1　　　　　　　　　**安全加高**　　　　　(单位:m)

运用情况		坝的级别			
		1	2	3	4、5
正常		1.5	1.0	0.70	0.50
非常	山区、丘陵区	0.7	0.5	0.40	0.30
	平原、滨海区	1.00	0.70	0.50	0.30

(二)地震涌浪高
按设计烈度和坝前水深取地震涌浪高为 0.5~1.5m。

(三)坝顶沉降超高
根据计算的坝顶竣工后沉降值确定坝顶沉降超高。

(四)坝顶高程
取以下 3 种情况的最大值加坝顶沉降超高:①正常蓄水位或设计洪水位加正常运用情况的坝顶超高;②校核洪水位加非常运用情况的坝顶超高;③相应于正常运用情况加地震,即正常蓄水位或设计洪水位加非常运用情况的坝顶超高再加地震涌浪高。

当坝顶上游侧设有稳定、坚固、不透水且与坝的防渗体紧密结合的防浪墙时,以上对坝顶高程的要求,可改为对防浪墙顶高程要求,但在正常运用情况下,坝顶高程至少应高出静水位 0.5m,在非常运用条件下,坝顶高程应不低于静水位。

二、风浪爬高计算

(一)风速

(1)正常运用条件下的 1、2 级坝采用多年平均年最大风速的 1.5~2.0 倍。

(2)正常运用条件下的 3、4、5 级坝采用多年平均年最大风速的 1.5 倍。

(3)非常运用条件下采用多年平均年最大风速。

应采用水域上空 10m 高度处风速 W_{10}（10m 处平均风速），如其他高度为 Z 的风速为 W_Z，可按 $W_{10} = K_Z \cdot W_Z$ 换算为 W_{10}，修正系数 K_Z 见表 5-2。

表 5-2   **不同高度风速换算**

高度 Z(m)	2	5	10	15	20
修正系数 K_Z	1.25	1.10	1.00	0.96	0.90

(二)吹程 D

指风作用于水域的长度,如水域宽广,吹程 D 可采用自计算点至对岸距离。如水域狭窄或不规则,D 采用等效吹程 D_e,由下式确定:

$$D_e = \frac{\sum_i D_i \cos^2 \alpha_i}{\sum_i \cos \alpha_i} \qquad (5\text{-}2)$$

式中,D_i 为计算点至水域边界距离,$i = 0, \pm 1, \pm 2$;α_i 为第 i 条射线与主射线的夹角。

D_i、α_i 的确定如下:在水域平面图上从坝坡计算点 A(图 5-1)逆风向作主射线,与水域边界交点距离为 D_0(相应 $\alpha_0 = 0°$),再在主射线两侧每隔 7.5°(初步计算也可用 15°)作射线,得 A 点与每一射线至水域边界交点的距离 D_i 及相应夹角 α_i(α_i 的最大值一般采用不大于 45°),代入式(5-2)得等效吹程 D_e。

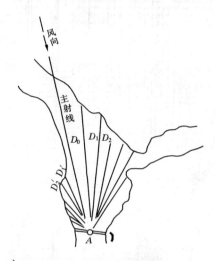

图 5-1　等效吹程计算示意

(三)水深 H

水域平均深度 H 一般可沿计算风向作出地形剖面图求得。

(四)平均波高 $\overline{h}$、平均波周期 $\overline{T}$ 及平均波长 $\overline{\lambda}$

平均坡高 $\overline{h}$ 可用由莆田试验站公式绘制出的图 5-2 查得。先由 gD/W^2 及 gH/W^2 查得 $g\overline{h}/W^2$,从而求得 $\overline{h}$。其中,W 为设计风速(m/s),D 为吹程(m),H 为水域平均水深(m,由沿风向地形剖面图求得),g 为重力加速度(9.81m/s^2)。W、D、H、g 都是已知,即可求得 $\overline{h}$(m)。再由式(5-3)算得平均波周期 $\overline{T}$(s):

$$平均波周期 \ \overline{T} = 4.0\sqrt{\overline{h}} \tag{5-3}$$

根据平均水深 H(m)及平均波周期 $\overline{T}$(s)可查表 5-3 得平均波长 $\overline{\lambda}$(m)。

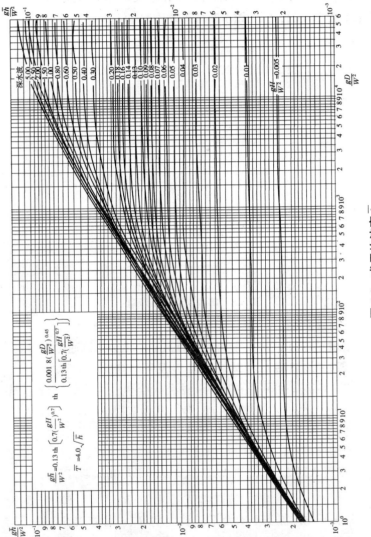

$$\frac{g\bar{h}}{W^2}=0.13\,\text{th}\left[0.7\!\left(\frac{gH}{W^2}\right)^{0.7}\right]\text{th}\left\{\frac{0.001\,8\!\left(\frac{gD}{W^2}\right)^{0.45}}{0.13\,\text{th}\left[0.7\!\left(\frac{gH}{W^2}\right)^{0.7}\right]}\right\}$$

$$\bar{T}=4.0\sqrt{\bar{h}}$$

图 5-2　求平均波高 $\bar{h}$

表 5-3　　　　平均水深 H、平均波周期 $\overline{T}$ 及平均波长 $\overline{\lambda}$ 关系　　（单位:m）

水深 H(m)	周期 $\overline{T}$(s)								
	2	3	4	5	6	7	8	9	10
1.0	5.21	8.68	11.99	15.23	18.43	21.61	24.78	27.94	31.10
2.0	6.04	11.30	16.22	20.94	25.57	30.14	34.68	39.19	43.68
3.0	6.21	12.67	18.95	24.92	30.71	36.40	42.02	47.59	53.14
4.0	6.23	13.39	20.85	27.93	34.76	41.42	47.99	54.49	60.94
5.0		13.75	22.19	30.30	38.07	45.64	53.06	60.39	67.66
6.0		13.92	23.12	32.17	40.85	49.25	57.48	65.58	73.60
7.0		13.99	23.76	33.67	43.20	52.40	61.39	70.22	78.94
8.0		14.02	24.19	34.87	45.21	55.18	64.88	74.20	83.79
9.0		14.03	24.48	35.82	46.92	57.62	68.03	78.21	88.21
10.0		14.04	24.66	36.58	48.39	59.80	70.88	81.70	92.34
12.0		14.05	24.85	37.62	50.71	63.46	75.82	87.88	99.70
14.0			24.92	38.24	52.40	66.38	79.95	93.17	106.11
16.0			24.95	38.59	53.60	68.69	83.42	97.75	111.75
18.0			24.97	38.78	54.44	70.52	86.32	101.72	116.75
20.0				39.89	55.02	71.95	88.76	105.18	121.20
22.0				38.95	55.42	73.07	90.80	108.19	125.17
24.0				38.98	55.68	73.92	92.50	110.81	128.71
26.0				93.00	55.86	74.58	93.50	113.09	131.88
28.0				39.00	55.97	75.07	95.06	115.06	134.72
30.0				39.01	56.05	75.44	96.02	116.77	137.25
32.0					56.09	75.72	96.79	118.25	139.51
34.0					56.12	75.92	97.42	119.52	141.52
36.0					56.14	76.07	97.93	120.61	143.32
38.0					56.16	76.18	98.34	121.53	144.91
40.0					56.17	76.26	98.66	122.33	146.32
42.0					56.17	76.32	98.92	123.00	147.57
44.0					56.17	76.36	99.13	123.66	148.67
46.0					56.18	76.39	99.29	124.04	149.64
48.0						76.41	99.42	124.44	150.49
50.0						76.43	99.52	124.78	151.24
55.0						76.45	99.71	125.49	152.96
60.0						76.46	99.78	125.78	158.76
65.0						76.47	99.82	126.02	154.49
70.0							99.85	126.17	155.00
深水波	6.24	24.05	24.97	39.02	56.19	76.47	99.88	126.42	156.07

(五)不同频率的风浪爬高 R_p

1. 平均风浪爬高 $\overline{R}$

用莆田试验站公式求坡率,$m = 1.5 \sim 5.0$ 的单一斜坡上正向来波的风浪平均爬高 $\overline{R}$:

$$\overline{R} = \frac{K_\Delta K_W}{\sqrt{1 + m^2}} \sqrt{h \overline{\lambda}} \qquad (5\text{-}4)$$

式中　$\overline{R}$——平均爬高,m;

　　　$\overline{h}$——平均波高,m;

　　　m——坝坡坡率;

　　　K_w——经验系数,由风速 W、水域水深 H 及重力加速度 g 得 $W/\sqrt{gH}$,查表 5-4 得 K_w;

　　　K_Δ——斜坡糙率及渗透性系数,根据护坡类型查表 5-5 求得;

　　　$\overline{\lambda}$——平均波长,m。

表 5-4　　　　　　　　　**经验系数 K_w**

$\dfrac{W}{\sqrt{gH}}$	≤1	1.5	2	2.5	3	3.5	4	≥5
K_w	1	1.02	1.08	1.16	1.22	1.25	1.28	1.30

表 5-5　　　　　　　　**糙率及渗透性系数 K_Δ**

护面类型	K_Δ
光滑不透水护面(沥青混凝土)	1.0
混凝土及混凝土板护面	0.9
草皮护面	0.85~0.90
砌石护面	0.75~0.80
抛填两层块石(不透水基础)	0.60~0.65
抛填两层块石(透水基础)	0.50~0.55

2. 求相应于不同累积频率的风浪爬高 R_p

根据平均波高 $\bar{h}$ 与水域平均水深 H 比值 $\bar{h}/H$，由表5-6查得相应于不同累积频率 P 的风浪爬高 R_p 与平均风浪爬高 $\bar{R}$ 之比 $\dfrac{R_p}{\bar{R}}$，已知 $\bar{R}$，得 R_p。对于1、2、3级土石坝，P 取1%，对于4、5级土石坝，P 取5%。

表 5-6　　　　　　　爬高统计分布($R_p/\bar{R}$ 值)

$\dfrac{\bar{h}}{H}$	累积频率 P(%)										
	0.1	1	2	3	4	5	10	15	20	30	50
<0.1	2.66	2.23	2.07	1.97	1.90	1.84	1.64	1.50	1.39	1.22	0.96
0.1~0.3	2.44	2.08	1.94	1.86	1.80	1.75	1.57	1.46	1.36	1.21	0.97

3. 变坡风浪爬高

如静水位附近上下坝坡不一致，可按式(5-5)求得计算坡率 m，按单坡计算风浪爬高：

$$\frac{1}{m} = \frac{1}{2}\left(\frac{1}{m_上} + \frac{1}{m_下}\right) \tag{5-5}$$

式中，$m_上$、$m_下$ 分别为静水位上下坡率。

4. 斜向来波对爬高影响

当来波方向与坝轴斜交，成一夹角 β 时，波浪爬高应乘以折减系数 K_β，其值由表5-7确定。

表 5-7　　　　　　　斜向波折减系数 K_β

β(°)	0	10	20	30	40	50	60
K_β	1	0.98	0.96	0.92	0.87	0.82	0.76

第四节　坝顶构造

一、坝顶宽度

坝顶宽度取决于施工、运行、构造、人防和其他专门要求。如在坝顶设公路或铁路,其宽度应按交通或铁路部门有关规定确定。坝顶最小宽度:对高坝取 10～15m,对中低坝可取 5～10m。

二、防浪墙

多由浆砌石或混凝土筑成,分基础及墙身两部分,为保持稳定,基础应埋于坝顶以下不小于 0.8m,且不小于上游坝面护坡加垫层总厚度。防浪墙上游与护坡相接,墙基最好同土质防渗体紧密连接,不透水,墙身要求稳定坚固,防止风浪冲击,墙高为 0.9～1.35m,墙身每隔 10～15m 布置一道设有止水的沉陷缝。

防浪墙最好设计成能抵御水压力,并做好沉陷缝之间的止水,以便万一遇超标洪水时不至于漫坝失事。如 1975 年 8 月淮河遇特大洪水,板桥与石漫滩均漫顶溃坝,损失惨重,而薄山水库却依靠防浪墙抵挡超过坝顶的库水,幸免漫顶。

(一)混凝土防浪墙

有现浇及装配式两种,为防止开裂,配少量温度筋。钢筋混凝土防浪墙示例见图 5-3。

(二)浆砌石防浪墙

这种防浪墙在国内最为常用,以块石砌筑,有关示例见图 5-4及图 5-5。

应指出:如坝低而且长,应该考虑可否不设防浪墙,而将坝适当加高,应进行经济比较后决定取舍。

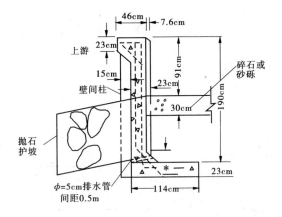

图 5-3 美国垦务局许多老坝的钢筋混凝土防浪墙

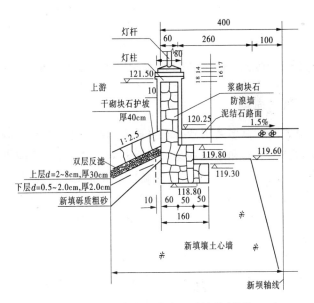

图 5-4 河南板桥水库浆砌石防浪墙(单位:cm)

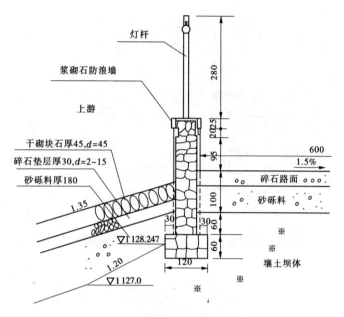

图 5-5 山西汾河水库浆砌石防浪墙(高程单位:m,尺寸单位:cm)

三、坝顶盖面

坝顶盖面材料多采用砂砾石或碎石、泥结碎石、沥青碎石等,以防止防渗体干裂和雨水冲蚀。以上材料为柔性,能适应坝顶沉降。为了美观耐用,也有采用预制混凝土板铺在坝顶,除了坝竣工后沉降量不大外,一般不用厚层、现浇、面积较大的混凝土板。为便于排雨水,坝顶应做成以 2%～3% 坡度,自中间倾向上下游,或自上游倾向下游。

第五节 护 坡

为了防止风浪淘刷、雨水冲刷、冬季结冰和库区漂浮物的破坏,以及接近泄水建筑物处的顺坝水流冲刷等,需设置上游护坡。同样,为了避免雨水冲刷,保护下游水下部分坝坡受风浪、冰层和水流的破坏作用,防止钻地动物打洞造穴,必须设置下游护坡。上下游护坡还有保护粘性土避免发生冻结、膨胀和收缩等作用。应该因地制宜,就地取材,优选上下游护坡型式。护坡所用石料要求新鲜坚硬、耐久,饱和抗压强度不小于40MPa。

一、上游护坡

常用的上游护坡型式有抛石、干砌石、浆砌石、混凝土板(或钢筋混凝土板)等,护坡范围自坝顶至最低水位以下2.5m(对4级以下坝可降为1.5~2.0m),如最低水位不确定,应护至坝底。

(一)抛石护坡

直接在上游坝面抛填块石保护。为防止风浪通过抛石空隙将坝体细土淘刷出来,在抛石下面应设每层厚不小于30cm的反滤垫层。垫层同坝体材料,以及同抛石之间都应满足反滤过渡要求,层数及规格由计算确定。抛石护坡比较粗糙,消浪减少风浪爬高效果较好,单个石块被风浪冲淘移位,对周围石块影响较小,最能适应坝顶沉降,受库冰影响较小。只要抛石重量够,级配合适,有大有小,使孔隙填充密实,使小石不至于被浪淘出流失,且厚度足够,一般抛2~3层块石,就能成为良好的上游护坡。根据美国工程师兵团对已运行5~50年的约100座土石坝进行调查,其中抛石护坡失败率仅5%,而干砌护坡失败率反而高达30%。

对于稍加整理的抛石护坡可按式(5-6)计算相应于平均粒径 D_{50} 的块石平均重 Q_{50}

$$Q_{50} = \sqrt[8]{\left[\frac{h}{2.12(bm)^{3/5}(\text{th}\frac{2\pi H}{\lambda})^a}\right]^3} \qquad (5\text{-}6)$$

式中 Q_{50}——块石平重,t;

h、λ——设计波高及波长,m,可取相应于累积频率 $P =$ 5%的值;

H——坝前水深,m;

m——上游坝坡坡率;

a,b——经验系数,与坡率 m 有关: $m = 5$时,$a = \dfrac{1}{3}$,$b = 1$;$m = 2 \sim 3$时,$a = \dfrac{1}{5}$,$b = 0.75$。

抛石应有合适级配,其最大块石重 Q_{max} 及最小块石重 Q_{min} 应满足式(5-7):

$$\left. \begin{array}{l} Q_{max} = (3 \sim 4)Q_{50} \\ Q_{min} = (\dfrac{1}{4} \sim \dfrac{1}{5})Q_{50} \end{array} \right\} \tag{5-7}$$

而最大粒径 D_{max} 及最小粒径 D_{min} 与平均粒径 D_{50} 的关系应满足式(5-8):

$$1.6D_{min} \geqslant D_{50} \geqslant 0.6D_{max} \tag{5-8}$$

抛石护坡厚 t(m)可按最大块石重 Q_{max}(t)由式(5-9)确定:

$$t = (\dfrac{Q_{max}}{0.75})^{\frac{1}{3}} \tag{5-9}$$

同时要求层厚 t 应大于最大粒径,并不小于1.5倍的 D_{50}。

美国工程师兵团编制了抛石最小平均粒径 D_{50} 及层厚与最大浪高的关系如表5-8所示(相应石料容重为 26kN/m³),可供设计抛石护坡时参考。

根据国内外若干土石坝统计,抛石护坡厚一般为 $0.5 \sim 1.0$m。

(二)干砌石护坡

人工砌石是国内最常用的上游护坡。要求将块石错缝竖砌,紧靠密实,塞垫稳固,大块封边,表面平整,注意美观,砌石下设垫层,其要求与抛石护坡相同。

表 5-8   最大浪高与最小平均石块尺寸及层厚的关系

最大浪高		最小平均石块尺寸(D_{50})		层厚	
英尺	cm	英寸	cm	英寸	cm
0~2	0~61	10	25.4	12	30.4
2~4	61~122	12	30.4	18	45.6
4~6	122~183	15	38.1	24	60.8
6~8	183~244	18	45.6	30	76.1
8~10	244~305	21	53.3	36	91.4

求在最大局部波压下所需砌石粒径 D(D 为换算球形直径）的公式见式(5-10):

$$D = 0.85D_0 = 1.018K \frac{\gamma_w}{\gamma_k - \gamma_w} \cdot \frac{\sqrt{1 + m^2}}{m(m + 2)}h \quad (5\text{-}10)$$

式中　D_0——石块平均粒径,m;

　　　　γ_k——块石容重,kN/m^3;

　　　　γ_w——水容重,kN/m^3;

　　　　m——坡率;

　　　　h——设计波高,m,一般可取相应于累积频率 $P = 5\%$ 的值;

　　　　K——随坡率 m 变化的系数,见表5-9。

表 5-9 K 随 m 变化的关系

m	2	2.5	3	3.5
K	1.2	1.3	1.4	1.4

若以重量计(视为球形),则:

$$Q = 0.85Q_{50} = 0.525\gamma_k D^3 \quad (5\text{-}11)$$

式中　Q——计算石块重量,t;

　　　　Q_{50}——石块平均重,t;

　　　　其余符号意义同前。

如已知坡率 m 及浪高 h，也可由根据式(5-10)及式(5-11)而绘制的图5-6查得要求的砌石粒径 D 及相应重量 Q。

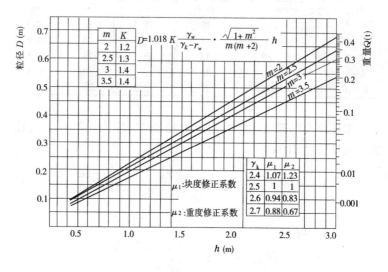

图5-6　干砌石块粒及重量计算

图中 D 及 Q 均对块石容重 $\gamma_k=25kN/m^3$ 而绘制，如石块

容重不同，查 D 及 Q 应分别乘修正系数 μ_1 及 μ_2，见图右下角

干砌石厚度可由式(5-12)求得：

$$t = \frac{1.67}{K}D \tag{5-12}$$

式中，t 为砌石护坡厚(m)；其余符号意义同前。

但当波长 λ 与波高 h 比 $\dfrac{\lambda}{h}>15$ 时，上式系数1.67改为1.82。

根据国内多座土石坝统计，干砌石护坡厚一般为 $0.3\sim$ $0.45m$。

(三)浆砌块石护坡

将块石以水泥砂浆胶结在一起并勾缝，也是国内常用的上游护坡,能抵御更大的风浪淘刷,但需设排水孔,以排除垫层渗水,防止库水下降时垫层中的水顶托浆砌石。根据国内一些土石坝统计,浆砌块石厚为0.3~0.4m。

(四)混凝土板护坡

混凝土板护坡可以现浇,也可预制。如采用预制块,厚度一般为 0.15~0.3m,尺寸为 1.5m×2.5m~3m×3m,下设垫层,厚0.15~0.3m。板上应设排水孔,以消除因库水降落或其他原因产生水压力顶托混凝土板。板厚 t 按式(5-13)计算,也可查图 5-7求得。

$$t = Kh \sqrt{\frac{\gamma_w}{\gamma_c - \gamma_w} \cdot \frac{\lambda}{mb}} \tag{5-13}$$

式中　t——板厚,m;

　　　m——坡率;

　　　K——结构系数,如护面全为开缝 $K = 0.075$,水上开缝、水下闭缝 K 为 0.1;

　　　γ_c、γ_w——混凝土及水容重,kN/m³;

　　　b——沿坡向板长,m;

　　　λ、h——设计波长及波高,m,相应于累积频率 P 为5%的值。

式(5-13)适用条件:①2< m <5;②10≤$\frac{\lambda}{h}$≤20。

混凝土板缝宽及排水孔径应选取适当,使得在风浪作用下垫层料不至于被淘刷流失。混凝土板耐久性好,抗风浪冲刷能力强,缺点是比较光滑,风浪爬得比较高。浪花飞溅到坝顶甚至坝下游。美国有些土石坝,在靠近高水位处,在混凝土护坡上修若干台阶以消浪,或将防浪墙上游面修成凹面向着水库的曲线,使浪花向库反溅,这些措施能起消浪作用,但增加施工麻烦。

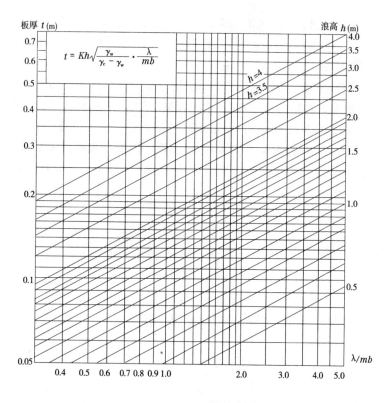

图 5-7　混凝土板厚计算

混凝土容重按 24kN/m³ 计，t 值指水上开缝、水下闭缝，如都开缝，应乘 0.75

如采用钢筋混凝土板，可单层双向布筋，每向布筋率 0.3%～0.4%。

二、下游护坡

草皮护坡是最经济的一种下游护坡，适合于下游坝壳为粘性土或砂、砂砾等，以及比较温暖湿润的地区。应注意做好坡面排水及洒水养护。也可采用粒径 2～10cm、厚 0.3～0.4m 的碎石或卵石进行下游护坡。如下游为粘性土，在碎卵石下面应设厚 0.2m 左右的砂砾垫层。对有尾水的下游坝坡部分,应用抛石或干砌石护坡,防止风浪淘刷,防护范围可高出最高尾水位以上 1m。如下游为堆石坝壳,可不专设下游护坡,有条件的可将超径石码砌平整。

第六节　坝顶坝面排水

为防止雨水冲刷,应设坝顶坝面排水。对于砌石或堆石坝坡可不设坝面排水。

一、坝顶

无防浪墙坝顶,应成拱背状,分别向上下游排水。有防浪墙坝顶,应向下游倾斜,坡度 2%～3%,将坝顶雨水排向下游坝面排水沟。

二、坝面排水

(一)布置

在下游坝坡设纵横向排水沟。纵向排水沟(与坝轴平行)一般设在各级马道内侧。沿坝长每隔 100～200m 设置 1 条横向排水沟(顺坡布置,垂直于坝轴),其总数不少于 2 条,横向排水沟自坝顶直至坝趾排水沟或最低尾水位以下。纵横向排水沟互相连通,纵向排水沟用以排除坡面雨水,再流向横向排水沟,排至下游坝趾排水沟。故在横向排水沟之间的纵向排水沟应从中间向两端倾斜(坡度 $i=0.1\%～0.2\%$),以便将雨水排向横向排水沟。

坝体与岸坡连接处应设置排水沟,以排除岸坡上流下来的雨水。

(二)排水沟尺寸及材料

1.设计标准

排水沟应能排除其频率如表 5-10 所示的每小时暴雨强度。

表 5-10

坝的等级	1	2	3	4,5
设计频率(%)	1	2	5	10

2.断面尺寸

根据式(5-14)确定排水沟泄流量 Q

$$Q = 0.278\psi H_1 F \tag{5-14}$$

式中　Q——排水沟设计泄量,$\mathrm{m^3/s}$;

　　　F——集雨面积,$\mathrm{km^2}$;

　　　H_1——根据表 5-10 确定的设计频率的暴雨强度,$\mathrm{mm/h}$;

　　　ψ——径流系数,草皮护坡 $0.8\sim0.9$,碎砾石或砂卵石护坡 $0.85\sim0.9$,坝端岸坡则根据植被和坡度等因素确定。

排水沟过水断面积 ω 由式(5-15)确定:

$$\omega = \frac{Q \cdot n}{i^{\frac{1}{2}} R^{\frac{2}{3}}} \tag{5-15}$$

式中　ω——排水沟过水断面积,$\mathrm{m^2}$;

　　　i——坡降;

　　　R——水力半径,m;

　　　n——糙率,可参考下值:浆砌石 0.025,混凝土 0.017,瓦管 0.012。

算出需要过水断面积 ω,并留有适当余地后,便不难确定排水沟断面尺寸。底宽及深度一般采用 $20\sim40\mathrm{cm}$。

3.材料

排水沟通常采用浆砌块石或混凝土预制块。

第七节　坝体排水

坝体设置排水设施是为了降低坝体浸润线,减小坝体孔隙水压力,增加坝坡稳定;控制渗流,防止渗透破坏;保护坝坡土,防止冻胀破坏。坝体排水应满足以下要求:有足够排水能力,以保证自由向下游排出全部渗水,按反滤原则设计,保证渗透稳定。

坝体排水型式一般有:棱体排水、贴坡排水、坝内排水以及综合型排水。坝体排水型式的确定取决于坝型、坝体及坝基材料性质、坝基工程地质及水文地质条件、下游尾水位、施工情况及排水设备材料、坝址区气象条件等,通过技术经济比较选定。

一、棱体排水

棱体排水(图 5-8)适用于下游有水的各种坝型及坝基。顶部高出尾水位,至少超过波浪在坡面的爬高,同时对 1、2级坝不小于 1.0m,对于 3~5

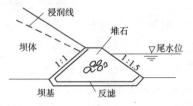

图 5-8　棱体排水示意

级坝不小于 0.5m。顶部高程还应保证浸润线距坝面至少超过当地冻结深度。顶宽由施工及观测要求定,并不小于 1m。其内坡 1:1,外坡 1:1.5 或更缓。

棱体排水能降低坝体浸润线,防止尾水风浪冲刷,增加下游坡稳定,但需较多石方,造价较高,棱体排水施工与坝体填筑有干扰。

二、贴坡排水

贴坡排水由下游坝脚起沿下游坝坡铺筑(图 5-9)。贴坡排水由块石(厚度不小于 0.4m)及反滤(每层厚不小于 0.2m)所组成。其块石用量比棱体排水少,可先填坝体,后筑贴坡排水,施工干扰少,但不能降低坝体浸润线,对下游坝坡稳定不能提供明显帮助。主要作用是:保护浸润线以下坝体材料不被渗水带出沿坡面流失,防止浸润线以下坝体在靠近坝面处冻结,影响排水。如有尾水位,贴坡排水还可防止风浪冲刷坝坡。

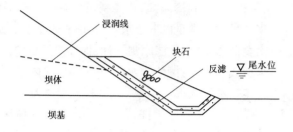

图 5-9　贴坡排水示意

贴坡排水适用于坝体浸润线不高、当地缺石料的情况。下游坝壳无论是土料或砂砾料,坝基无论是透水或不透水都可用贴坡排水,其顶部应高于浸润线逸出点,使浸润线在当地冻结深度以下,且不小于下值:1、2 级坝 2m,3～5 级坝 1.5m。贴坡排水底部应设排水沟或排水体,其深度应使下游水面结冻后,仍能保持足够排水断面。如下游有水,贴坡排水的设置应满足防浪护坡要求。

三、坝内排水

(一)水平褥垫排水

水平褥垫排水核心由堆石或卵砾石组成,外包反滤,从下游坝趾开始,成片连续沿坝体与坝基接触面水平伸入坝体(图 5-10)。伸入长度由计算确定,对于不透水基上均质土坝,伸入长度最多为坝底宽 1/2～1/3。这种排水能较多降低坝体浸润线,适用于下游无水情况。

在水平褥垫排水下游坝脚处应设排水沟,褥垫厚可按排泄 2 倍入渗量确定。

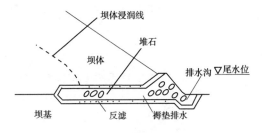

图 5-10　水平褥垫排水示意

(二)网状排水

网状排水由与坝轴平行的纵向排水及垂直于坝轴的横向排水组成。核心为堆石或卵砾石,外包反滤,纵向排水深入坝体以降低浸润线,进入纵向排水的渗水,通过横向排水排出坝外(图 5-11)。这种排水适用于缺少排水材料(石料、砂卵石、砾石等)情况,但由于横向排水不是成片连续,而是间隔布置,因此排渗效果(特别对于坝基排水)比水平褥垫排水差些。

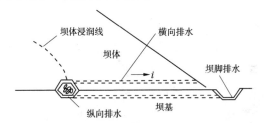

图 5-11　网状排水示意

纵向排水的厚度和宽度应由渗流计算确定,横向排水宽度应大于 0.5m、间距 30～100m,坡度由不产生接触冲刷确定,一般不大于 1%。如渗流量比较大,增大排水尺寸不经济,可在纵横向排水带核心里置排水管,管径由渗流计算决定,但不得小于 20cm,管内流速应控制在 0.2～1.0m/s,管坡度不要大于 5%,管内充水不高于管径 0.8。排水管应埋入反滤料中,排水管相互之间应留有缝隙,或在管壁上留孔,以收集渗水。缝宽或孔径由反滤计算确定。

(三)竖式及横向排水

许多均质坝采用风化料或砾石土筑成,本身并不均匀,易形成局部渗水通道,抬高坝体浸润线,甚至从下游坝面逸出,影响坝坡稳定。即使坝体土料比较均匀,但碾压后水平向渗透系数 $K_{水平}$ 往往大于垂直向渗透系数 $K_{垂直}$。即使设置褥垫排水,坝体浸润线也大为抬高(图 5-12)。因此,对不透水基上均质土坝,最好设竖式排水,截断坝体渗流,有效降低坝体浸润线(图 5-13),使在竖式排水下游的坝体保持干燥,大大提高下游坝坡稳定性。竖式排水可以是垂直的,也可倾向上游或下游,其顶部高程最好等于或高于库水位 $0.5 \sim 1.0 \text{m}$,其厚度由坝高及施工条件确定,但不小于 1.0m,底部按水平褥垫排水,将渗水排出坝外。由于均质土坝在施工期往往产生孔隙水压力,其最大值常在坝体中间部分,设竖式排水还可以降低施工期坝体孔隙压力。

在国外,有些均质土坝还在不同高程的上下游坝体设置若干层水平横向排水,每层上下游不连通,以预留防渗体隔开(图 5-14),层间高差一般为 10m 左右。设置横向排水不但可以降低施工期坝体孔隙压力,而且还可在库水位下降时,改变上游坝体渗流方向,由向上游变为向下,有利于上游坝坡稳定。

四、综合型排水

由以上各种排水组成综合排水,有下部为棱体排水、上部为贴坡排水,棱体排水上游接水平褥垫排水,水平褥垫排水上游端接竖式排水等。

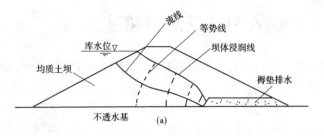

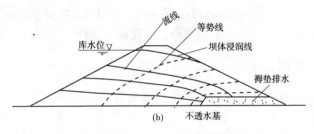

图 5-12 坝体渗透系数不均匀对浸润线位置影响

(a)$K_{水平} = K_{垂直}$ (b)$K_{水平} = 16K_{垂直}$

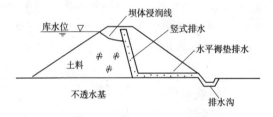

图 5-13 竖式排水示意

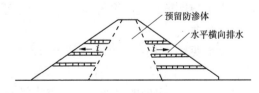

图 5-14 横向排水示意

第八节　反滤层和过渡层

在凡有渗流通过的两种级配粗细明显不同的材料之间,应设置反滤层,以防止土粒流失。而设置过渡层是为了防止两种刚度相差较大的材料之间(如土质心墙和强透水坝壳之间)产生变形和应力的急剧变化,以便起缓冲作用。两者很难有严格区别,一般反滤层可起过渡层作用,而过渡层不一定严格满足反滤要求,通常前者薄些而后者厚些。本节只重点论述反滤层设计。

一、概述

反滤层设在产生渗流的两种粗细明显不同的材料之间,如土料和砾石或石渣之间、砂砾和石渣或堆石之间等,以防止产生渗透变形。经常设置反滤层的部位有:土质心墙或斜墙与上下游透水坝壳之间,砂砾坝基与堆石坝壳或与各种坝基排水设施(如水平褥垫、排水沟、减压井等)之间,坝体土料同各种坝体排水(如棱体、贴坡、竖式等排水)之间,上游护坡垫层等。因此,在土石坝中反滤层用途甚广,占土石坝投资的相当大比例,对土石坝安全运行至关重要。

反滤层设计包括选定颗粒级配、层数、厚度以及透水性,使之满足以下要求:①被保护料不会流失;②有足够透水性使渗流顺畅排泄;③不被细粒土淤堵;④控制含泥量($<0.1mm$)不超过5%;⑤当土质防渗体产生裂缝导致集中渗流,能拦阻土粒流失,使缝壁在渗水浸泡下坍塌自愈。

反滤层型式示意见图5-15。其中Ⅰ型渗流方向由上而下,如土质斜墙后的反滤、均匀土质坝的水平排水褥垫等。Ⅱ型渗流方向由下而上,如地基渗流出逸处的反滤。Ⅲ型渗水沿相邻层接触面流动。至于渗流方向为水平、反滤层为垂直的型式(如减压井、竖式排水等的反滤层)属过渡型,可归为Ⅰ型。

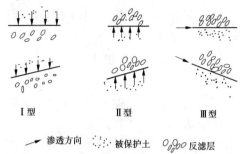

图 5-15 **反滤层型式示意**

根据反滤过渡要求,反滤层数一般为 1～3 层。对于水平反滤层最小厚度为 30cm,垂直或倾斜反滤层最小厚度 50cm,如采用机械化施工,最小水平厚视施工方法而定,一般不小于 3m。

二、保护无粘性土的反滤层设计

无粘性土一般指粉砂、砂、砂砾、卵砾石、碎石等,也包括塑性指数小于 7、粘粒含量小于 7%～10% 的砂土。以上Ⅰ型反滤渗流方向与重力方向一致,细土粒比其他各型更易流失,工作条件最不利。以下选择反滤料粒径公式适用Ⅰ型反滤,对其他各种工作条件较好的Ⅱ、Ⅲ型也可适用。

被保护土和第一层反滤的特征粒径 d_{15}、d_{85} 及 D_{15} 应满足式 5-16 的要求,同时要求两者不均匀系数 $\eta = \dfrac{d_{60}}{d_{10}}$ 及 $\dfrac{D_{60}}{D_{10}}$ 不大于 5～8,级配曲线形状最好相似。

$$\left.\begin{array}{l} \dfrac{D_{15}}{d_{85}} \leqslant 4 \sim 5 \\[3mm] \dfrac{D_{15}}{d_{15}} \geqslant 5 \end{array}\right\} \qquad (5\text{-}16)$$

式中　D_{15}——反滤料的粒径,小于该粒径的土占总土重的 15%;

　　d_{15},d_{85}——被保护土的粒径,小于该粒径的土分别占总土重的 15% 及 85%。

上式第一行是为了保护被保护土不会向反滤层流失,而第二行是为了保证反滤料的透水性。上式同样适用于选择第二、三层反滤;当选择第二层反滤时,以第一层反滤为被保护土,而选择第三层反滤时,以第二层反滤为被保护土。

设计时应根据被保护土的若干级配曲线求出粗限及细限级配曲线(即粗、细包线),根据式(5-16)及不均匀系数 $\eta < 5 \sim 8$ 的条件,可分别求得反滤料粗、细限级配曲线。但应指出,此时为满足 $\dfrac{D_{15}}{d_{85}} \leqslant 4 \sim 5$,$D_{15}$ 及 d_{85} 应分别取自反滤料粗限级配曲线及被保护土的细限级配曲线;而为满足 $\dfrac{D_{15}}{d_{15}} \geqslant 5$,则 D_{15} 及 d_{15} 分别取自反滤料细限级配曲线及被保护土的粗限级配曲线,即分别要求 $\dfrac{(D_{15})_1}{d_{85}} \leqslant 4 \sim 5$ 及 $\dfrac{(D_{15})_2}{d_{15}} \geqslant 5$,详见图 5-16。要求实际反滤料级配曲线应落在粗细限范围内。采用该法选定反滤料偏于安全。

针对以下情况做一些处理后,仍可用上述方法设计保护无粘性土的反滤料:

(1)对不均匀系数 η 大于 $5 \sim 8$ 的非粘性保护土,可取其粒径小于 $2 \sim 5 mm$ 的细粒部分的级配曲线作为被保护土的级配曲线,求其 d_{15} 及 d_{85},用上述方法设计反滤料。经过以上处理后的细料级配曲线,一般 $\eta < 5 \sim 8$,可以利用式(5-16)进行设计。由于细料比全料细,设计出的反滤能保护全料的细土粒不会流失。

(2)对于级配不连续的非粘性土,取平段(粒径一般 $1 \sim 5 mm$)以下的细料级配曲线的 d_{15}、d_{85} 作为被保护土的计算粒径,再用

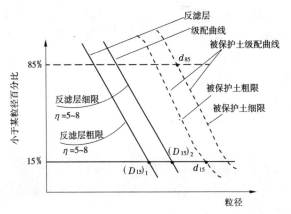

图 5-16 设计反滤料示意

上述方法设计反滤料。

(3)对于采用不均匀系数 η 大于 5～8 的天然砂砾料作为第一层反滤,可采用小于 5mm 的细粒部分的级配曲线上的 D_{15} 作为计算粒径,用上述方法设计。此时还要求天然砂砾料大于 5mm 含量应小于 60%。这种简化处理的本意是:在大于 5mm 的粗料含量小于 60%的情况下,经压实之后,小于 5mm 的细料已成为主体,粗料孔隙已完全被细粒充填(即细包粗),无论是渗透性或防止被保护土流失,都是针对细料,故可用细料级配的 D_{15} 作为计算粒径,进行反滤料设计。

对于重要土石坝,用上述方法处理后还应通过反滤试验进行验证。

三、保护粘性土的反滤层设计

粘性土有粘聚力,抗管涌能力一般比无粘性土强,通常不用式(5-16)设计反滤层,而用以下方法设计。

(一)满足被保护粘性土的细粒不会流失

根据被保护土的小于 0.075mm 含量的百分数不同,而采用不同方法。当被保护土含有大于 5mm 的颗粒时,则取其小于 5mm 的级配确定小于 0.075mm 的颗粒含量百分数及计算粒径 d_{85}。如被保护土不含有大于 5mm 颗粒时,则按全料确定小于0.075 mm 的颗粒含量百分数及 d_{85}。

(1)对于小于 0.075mm 的颗粒含量大于 85% 的粘性土,按式 (5-17)设计反滤层:

$$D_{15} \leqslant 9d_{85} \qquad (5\text{-}17)$$

当 $9d_{85} < 0.2$mm 时,取 D_{15} 等于 0.2mm。

(2)对于小于 0.075mm 的颗粒含量为 40%~85% 的粘性土, 按式(5-18)设计反滤层:

$$D_{15} \leqslant 0.7\text{mm} \qquad (5\text{-}18)$$

(3)对于小于 0.075mm 颗粒含量为 15%~39% 的粘性土,按 式(5-19)设计反滤层:

$$D_{15} \leqslant 0.7\text{mm} + \frac{1}{25}(40 - A)(4d_{85} - 0.7\text{mm}) \qquad (5\text{-}19)$$

式中,A 为小于 0.075mm 时颗粒含量(%)。若式(5-19)中 $4d_{85}$ <0.7mm,应取0.7mm。

(二)满足排水要求

以上 3 种土还应符合式(5-20),以满足排水要求。

$$D_{15} \geqslant 4d_{15} \qquad (5\text{-}20)$$

式(5-20)中 d_{15} 应为被保护粘性土全料的 d_{15},若 $4d_{15} < 0.1$mm 时 取 D_{15} 不小于 0.1mm。

四、减压井滤层及护坡垫层

(一)减压井滤层

对于进水管开圆孔或条孔的情况,按式(5-21)选择滤料,并要 求滤料最大粒径不大于层厚的 1/5,以免向下投料时卡住。不均匀系数不大于 5~6。

圆孔：$$\frac{\text{反滤料 } D_{85}}{\text{圆孔直径 } d} \geq 1$$

条孔：$$\frac{\text{反滤料 } D_{85}}{\text{条孔宽度 } b} \geq 1.2$$

(5-21)

（二）护坡垫层

同样应满足土粒不流失及足够透水性要求，但标准可低些，建议按式(5-22)的简便方法选择粒径。

$$\frac{D_{15}(\text{块石})}{d_{85}(\text{垫层})} \leq 10$$

$$\frac{D_{15}(\text{垫层})}{d_{85}(\text{垫层下被保护土})} \leq 5$$

(5-22)

五、关于反滤层的实践经验

（一）土质心墙或斜墙的上下游反滤层

下游反滤为渗水出口，由水库补给，水源充沛，为关键部位，必须保证反滤质量。如心墙、斜墙产生裂缝，招致集中渗流，但只要下游反滤能拦阻土粒流失，则缝壁在渗水浸泡下将会坍塌自愈。而上游反滤的主要作用是或防止库水位下降时心墙（或斜墙）土料孔隙中水分向上游透水坝壳排泄时引起土粒流失，或防止沿心墙、斜墙与上游透水坝壳接触面产生冲蚀现象。但由于向上游排泄的渗透比降一般不大，土料孔隙含水不多，水源有限，因此上游反滤工作条件远比下游好，为非关键部位，故反滤设计可适当放宽。

（二）关于含泥量

反滤层应尽量干净，小于 0.1mm 的含泥量不要超过 5%。实践证明，含泥量高不仅淤堵反滤，影响排水，而且运行期间含泥可能被渗水带出形成浑水，一时难以辨别是反滤含泥被带出，还是坝体或坝基发生管涌，给管理带来不便。例如，北京附近官厅水库库容 24 亿 m^3,为厚心墙分区坝,最大坝高 45m,运行初期,由于心墙下游坡脚处滤水坝趾反滤料不干净,含泥被渗水带至堆石棱体下游集水井内,断断续续出现浑水,曾怀疑为心墙管涌,引起恐慌,通过多方面分析研究,才证实为反滤料含泥被带出。

(三)关于反滤层粒径级

尽量利用天然砂砾料筛分成反滤料,也可人工轧制石料成为反滤料,必要时也可用人工轧制某些粒径的料与天然砂砾筛分料混掺,以补充其不足。应在满足式(5-16)的基础上,设计反滤层粒径,从若干方案中优选,使弃料或亏料最少,最高限度地利用当地材料,并尽量减少反滤层数,在保证质量的前提下节约投资。

多层反滤粒径级一般为连续的,但为了达到上述尽量利用当地材料的目的,也有采用各层相互搭接的粒径级。如黄河小浪底水库拦河大坝斜心墙下游第一、二层关键性反滤,分别采用 0.1～20mm 及 5～60mm,取自筛分天然砂砾料,并人工轧制小石和中粗砂补充之。

在条件允许的情况下,应尽量与混凝土骨料粒径级一致,使两者结合,以简化施工。

第六章 土石坝计算

第一节 渗 流

一、渗流计算的目的和内容

渗流计算是为了确定经济可靠的坝型、合理的结构尺寸以及适宜的防渗和排水设施。渗流计算内容有:①确定坝体浸润线、坝体及坝基等势线或流网图,供坝体稳定计算或选定排水设备用;②确定坝体或坝基渗流量,用以估算水库渗漏量;③确定坝坡及坝基渗透比降,以判断其渗透稳定性。

二、渗流计算的基本假定,计算条件及其简化

(一)渗流计算的基本假定

(1)土体中渗流流速不大且处于层流状态,渗流服从达西定律,即平均流速 v 等于渗透系数 K 与渗透比降 i 的乘积,$v = Ki$。

(2)发生渗流量时土体孔隙尺寸不变,饱和度不变,渗流为连续,对于任一单元,入流等于出流,结合达西定律,求得各向同性的均匀土体,解二元稳定渗流的拉普拉斯方程式,如式(6-1)所示:

$$\frac{\partial^2 h}{\partial x^2} + \frac{\partial^2 h}{\partial y^2} = 0 \qquad (6\text{-}1)$$

式中,x,y 为平面坐标,h 为势能。

(二)渗流计算条件

渗流计算应考虑如下水位组合,取其不利者作为控制条件:①

上游正常高水位,下游相应的最低水位;②上游设计或校核洪水位,分别相应的下游水位;③对上游坝坡稳定最不利的库水降落后的水位。

(三)计算条件的简化

对计算条件可作如下简化:①如渗透系数相差 3~5 倍,可看成相同,采用加权平均渗透系数。②如渗透系数相差 100 倍以上,可将渗透系数小的看成相对不透水,例如,坝基渗透系数比坝体大100 倍以上,可认为坝体不透水,仅把坝基当做有压渗流对待。③如透水基深度大于不透水建筑物底宽 1.5 倍,可视为无限深。④对于水平渗透系数为 K_x、垂直渗透系数为 K_y 的各向渗透异性土体,可通过坐标变换转化为各向同性土进行计算或绘流网。变换办法:如垂直方向 y 不变,则水平方向 x 尺寸乘以 $\sqrt{K_y/K_x}$;如 x 尺寸不变,则将 y 尺寸乘以 $\sqrt{K_x/K_y}$,得出各向渗透同性的虚拟断面,据此进行计算或绘流网,取得结果后,再将尺寸除以上述比数 ($\sqrt{K_y/K_x}$ 或 $\sqrt{K_x/K_y}$),转化为原来图形。渗流量可利用上述各向同性虚拟断面求得,但应采用等效渗透系数 $K = \sqrt{K_x \cdot K_y}$。⑤对于层状土体可按式(6-2)转化为等效水平渗透系数为 K_x、垂直渗透系数为 K_y 的各向异性土体,再按上述方法进行渗流计算:

$$\left.\begin{array}{l} K_x = (K_1 T_1 + K_2 T_2 + \cdots + K_n T_n)/(T_1 + T_2 + \cdots + T_n) \\ K_y = (T_1 + T_2 + \cdots + T_n)/(T_1/K_1 + T_2/K_2 + \cdots + T_n/K_n) \end{array}\right\}$$

$$(6\text{-}2)$$

式中　$T_1, T_2, \cdots, T_n$——各层厚;

　　　$K_1, K_2, \cdots, K_n$——各层渗透系数。

三、渗流计算

渗流计算通常有公式计算、数值解法、绘制流网和模拟试验等。以往公式计算使用比较广泛,近年来随着用电子计算机解有限单元法的数值解法的发展,已编出一些二维、三维稳定或不稳定渗流程序,适用于均质或非均质的各种复杂边界条件的渗流计算,使用起来十分方便,已基本取代公式计算,故本书不再详列各种繁杂的计算公式,只列出一般中小型工程常用的不透水基上均质土坝渗流公式。读者如对其他各种坝型或地基条件的计算公式感兴趣,可参考水利水电规划设计总院组编的《碾压式土石坝设计手册》下册第8～36页或参考顾淦臣、陈明致著《土坝设计》(中国工业出版社出版)第136～173页。在渗流边界条件和渗流介质的渗透系数不太复杂的情况下,手绘流网简单方便,不失为分析渗流问题的可行办法。此外,如条件具备,而且有必要,也可通过模拟试验求解渗流问题。

(一)不透水基上均质土坝渗流计算公式

1.贴坡式排水(或无排水)

先求为替代上游三角体 ABC 的渗流水头损失而虚拟的矩形体宽 ΔL(图6-1):

$$\Delta L = \frac{m_1}{2m_1 + 1}H_1 \tag{6-3}$$

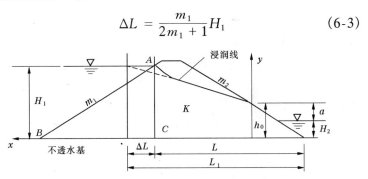

图6-1　贴坡排水(或无排水)均质坝渗流示意

求单宽渗流量 q 的计算式见式(6-4):

$$q = K\left[\frac{(H_1 - H_2)^2}{L_1 - m_2 H_2 + \sqrt{(L_1 - m_2 H_2)^2 - m_2^2(H_1 - H_2)^2}}\right.$$
$$\left. + \frac{(H_1 - H_2)H_2}{L_1 - 0.5 m_2 H_2}\right] \tag{6-4}$$

求下游坝坡渗出点处水深 h_0 的计算式见式(6-5)：

$$h_0 = \frac{[2(m_2 + 0.5)^2(h_0 - H_2) + m_2 H_2](m + 0.5)}{2(m_2 + 0.5)^2 h_0 + m_2 H_2} \frac{q}{K} + H_2$$
$$\tag{6-5}$$

坝体浸润线方程式见式(6-6)：

$$y^2 = \frac{H_1^2 - h_0^2}{L_1 - m_2 h_0} x + h_0^2 \tag{6-6}$$

式中, H_1 及 H_2 分别为上下游水深, m_1 及 m_2 分别为上下游坝坡率, K 为坝体渗透系数, 其余符号含义见图 6-1。如下游无水, 以 $H_2 = 0$ 代入以上各式, 得相应特征值。

2. 水平褥垫排水

水平褥垫排水一般用于下游无水的情况。排水褥垫起点处的渗流水深 h_0 见式(6-7)：

$$h_0 = \sqrt{L_1^2 + H_1^2} - L_1 \tag{6-7}$$

通过坝体的渗流量 q 的计算见式(6-8)：

$$q = K h_0 \tag{6-8}$$

求 ΔL 见式(6-3), 坝体浸润线方程见式(6-9)：

$$y^2 = 2\frac{q}{K}x + h_0^2 \tag{6-9}$$

浸润线伸入水平褥垫的长度 a_0 的计算见式(6-10)：

$$a_0 = \frac{1}{2}h_0 \tag{6-10}$$

以上各式符号的代表意义见贴坡式排水部分及图 6-2。若已知排水体的渗透系数均为 K'、水平褥垫排水长 L', 则排水体的最

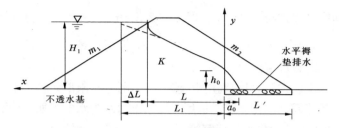

图 6-2　水平褥垫排水均质坝渗流示意

小厚度 d 的计算见式(6-11)：

$$d \geqslant \sqrt{2 \frac{qL'}{K'}} \qquad (6\text{-}11)$$

以上水平褥垫计算方法同样可适用于设暗沟或暗管排水的情况，但暗沟或暗管宽度应大于 a_0，才不会从下游坝坡出渗。

3. 棱体排水

无论下游有水或无水，棱体起端的渗流水深 h_0 见图6-3，按式(6-12)计算：

$$h_0 = H_2 + \sqrt{L_1^2 + (H_1 - H_2)^2} - L_1 \qquad (6\text{-}12)$$

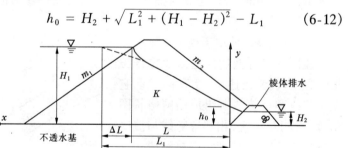

图 6-3　棱体排水均质坝渗流示意

通过坝体的渗流量 q 见式(6-13)：

$$q = K \frac{H_1^2 - h_0^2}{2L_1} \qquad (6\text{-}13)$$

浸润线方程式与式(6-9)同,即$y^2 = 2\frac{q}{K}x + h_0^2$,纵坐标下游的浸润线可用目视勾划,与棱体内尾水位相连,已可满足实用要求。

(二)数值解法

以上已述及,目前利用电子计算机,通过有限单元解决土石坝各种渗流问题已得到广泛运用。原水电部水利水电规划设计院曾于1984年以(84)水规标字第3号文(以下简称规划院3号文)批准推广土石坝设计10个专用程序,其中有关渗流的计算有两个:①南科院和黄科所的稳定和非稳定渗流计算程序,编制者为杨静熙和李祖贻;②中国水科院的稳定渗流计算程序,编制者为李春华。以上可供解答渗流问题用。

(三)绘制流网

在地层不太复杂的情况下,可以采用手绘流网办法来求解众多的平面渗流问题。该法简便易行,通过试画和不断修正,绘得流网,能适应各种边界条件、满足设计精度要求,只要对渗流特性有所理解,通过短时实践,会很快熟悉掌握,不失为解答渗流问题的良好办法。

1.流网原理、性质及边界条件

流网主要遵循达西定律及拉普拉斯方程式(前文已述及)等基本原理,它是由流线和等势线所组成的网格状图形,两者相互正交,相邻等势线与流线网格的边长比为1,即每网格绘成正方形,见图6-4。流线代表水质点流动轨迹线,等势线表示势能的等值线,在同

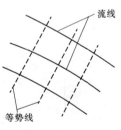

图6-4 流网示意

一根等势线上各点的测压管水面是齐平的,相邻等势线间的水头损失相等,各流线间通过的流量相等。在同一土层内,流线、等势线应是连续光滑的曲线。

2. 流线的边界条件

(1)透水边界:如图 6-5 中上游坡面 12,及上游库底 15,均为等势线,势能 = H_1。

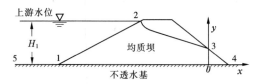

图 6-5　绘制流网边界条件示意

(2)不透水边界:如图中 14,为流线。

(3)浸润线边界:浸润线为坝体渗流的自由水面线,如图中 23。浸润线为一流线,其上任一点的势能与该点纵坐标 y 相等,或势能 $h = y$。

(4)渗出段边界:如图中 34 为渗出段边界,渗水沿该面向下淌流,既非流线也不是等势线,在该边界上任一点势能与该点的位置坐标 y 相同,或势能 $h = y$。

3. 流网的应用

(1)计算渗流场内各项水力要素,如渗透比降 J、流速 V 及单宽渗流流量 q 等,见式(6-14):

$$\left. \begin{array}{c} J = \dfrac{H}{n\Delta l} \\[2mm] V = KJ = \dfrac{KH}{n\Delta l} \\[2mm] q = \dfrac{m}{n}KH \end{array} \right\} \qquad (6\text{-}14)$$

式中　H——总水头;

　　　n——任一根流线被所有等势线切割的段数,每段势能差相同;

　　　Δl——每一网格两等势线间距离;

　　　K——渗流介质渗透系数;

m——由每二根流线所形成的流槽总数。

(2)由流网内流线和等势线分布疏密判断渗透稳定情况。一般流线和等势线密集地段,渗透比降和渗流流速大,应保证渗透稳定。

(3)成层土的流线绘制:若渗流穿越两层土交界,其渗透系数分别为K_1、K_2,而在每层土内为各向同性,则渗流在两土层交界面将产生折射,见图6-6,其关系见式(6-15)。

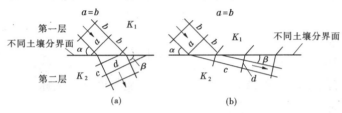

图 6-6　不同土层时的流网过渡

(a)$K_2 < K_1$;(b)$K_2 > K_1$

$$\frac{K_1}{K_2} = \frac{\tan\beta}{\tan\alpha} \tag{6-15}$$

式中,α、β分别为第一层及第二层流线与土层界面的交角,两层土中网眼边长关系见式(6-16):

$$\frac{c}{d} = \frac{b}{a}\frac{K_2}{K_1} \tag{6-16}$$

当渗透系数为K_1的第一土层为曲线方格网眼,则:

$$\frac{c}{d} = \frac{K_2}{K_1} \tag{6-17}$$

图6-7为双层地基的半个流线图。

(4)各向异性土流网的绘制。坝体填土水平向渗透系数K_h经常大于垂直向渗透系数K_v,属各向异性土。绘制流网的方法为:维持垂直方向尺寸y不变,将水平方向尺寸x乘以$\sqrt{K_v/K_h}$倍,

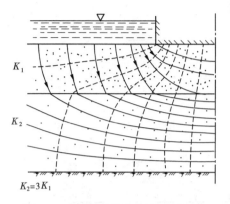

图 6-7　在双层地基中的流网(半个)

得虚拟剖面按上述方法绘的流网,再将其水平尺寸 x 除以 $\sqrt{K_v/K_h}$,得原剖面(各向异性)的流网,其流线与等势线为斜交。可根据虚拟剖面流网求单宽渗流量 q,但渗透系数 $\overline{K}$ 采用 $\overline{K}$ $\sqrt{K_v K_h}$。图 6-8 为坝体与坝基渗透系数相同,但 $K_h = 9K_v$ 的流网图。

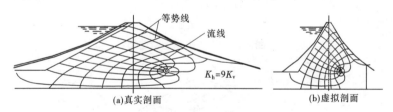

图 6-8　各向异性土($K_h = 9K_v$)的流网示意

4.流网实例

根据上述流网特性及边界条件,通过试绘和修正,画出流网,以解答各种情况的流线问题,一些流线示例列于下,可供参考。这些流线均假定为各向同性。如各向异性,可用以上(4)方法处理。

(1)不透水基上一些流网:详见图 6-9～6-11。

(2)透水基上一些流网:详见图 6-12～6-16。

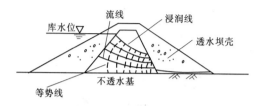

图 6-9　不透水基上心墙坝

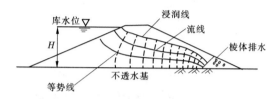

图 6-10　不透水基上均质土坝

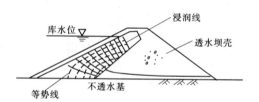

图 6-11　不透水基上斜墙坝

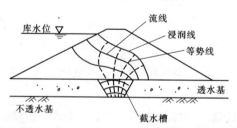

图 6-12　透水基上均质坝(有截水槽)

(3)库水降落后流网:如坝基为不透水,库水位降落对上游坝坡稳定不利。假定填土为各向同性,图 6-17 为不透水基上均质坝

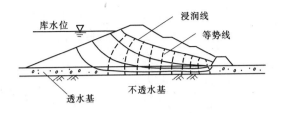

图 6-13　透水基上均质坝

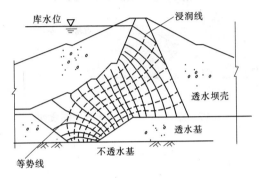

图 6-14　透水基上心墙坝(有截水墙)

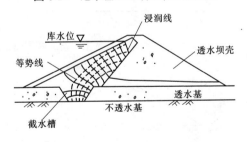

图 6-15　透水基上斜墙坝(有截水槽)

库水位降至库底后流网,图 6-18 为不透水基上心墙上游坝壳库水位降落后流网。由这两个图可见,渗流方向朝向水库,渗透水压力对上游坝坡稳定不利。为了改善,可在底部设水平排水垫层,以改变渗流流向使之向下 ,有助于上游坝坡稳定,其流网见图 6-19。

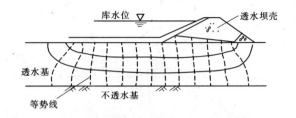

图 6-16   透水基流网(假定斜墙铺盖为不透水)

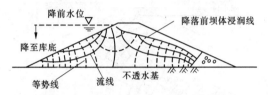

图 6-17   库水降落后不透水基上均质坝

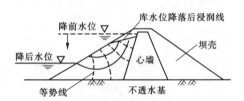

图 6-18   库水降落后不透水基上心墙上游坝壳

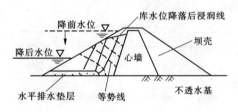

**图 6-19   设水平排水垫层对库
水降落后流网的影响**

针对其他情况,在假定库水降落后填土孔隙不变的情况下,都可根据不稳定渗流计算方法或模拟试验,确定库水降落期上游坝壳浸润线,再根据边界条件,绘出相应流网,不再示例。

(四)模拟试验

模拟试验法主要有连续介质的水电比拟法和将渗流场离散开来逐点求解的电阻网模拟法。前者可解决非均质和各向异性问题,但对复杂的大型渗流场求解有一定困难。大型电阻网模拟使用方便,精度较高,多用于解决空间渗流试验。这两种方法都在渗流分析中发挥了较大作用。

四、渗透稳定计算

渗透稳定计算任务是鉴别土的渗透变形。通过渗流计算所获得的渗透比降等数据判明坝体、坝基及下游渗流出逸段是否存在渗透变形问题,为铺设反滤或加盖重等处理措施提供依据。

(一)渗透变形分类

渗透变形可分为:①流土:在渗流作用下土体整体浮动或流失;②管涌:在渗流作用下无粘性土中的细颗粒在孔隙中移动、流失;③接触冲刷和流失:渗流沿两种不同土层接触面流动时,沿接触面带走细颗粒,产生接触冲刷,或渗流方向垂直于两相邻的不同土层,将渗透系数小的土层的细粒土带入渗透系数大的土层中,形成接触流失。

(二)渗透变形判别

(1)粘性土:对粘性土,由于有凝聚力,渗透变形主要为流土,一般不发生管涌。

(2)连续级配砂砾料:对于细料(一般为 2～5mm)含量 $P_z >$ 35％为流土,如 $P_z < 35\%$,以不均匀系数 C_u 来区分,$C_u < 10$ 为流土,$C_u > 20$ 为管涌,C_u 在 10～20 间为过渡型。

(3)缺乏中间粒径砂砾料:如中间粒径(一般为 2～5mm)以下的细粒含量 $P_z > 35\%$ 为流土,$P_z < 25\%$ 为管涌,25％ $< P_z < 35\%$ 为过渡型。

(三)允许渗透比降

(1)粘性土:抗流土渗透比降破坏值 $I_破$ 及允许值 $I_允$,在无盖重情况下,按式(6-18)计算。如在坝趾下游存在弱透水表层,下有承压水需设盖重以保护渗透稳定,则盖重厚 t 按式(6-19)计算。有关透水盖重,详见第四章第三节。

$$\left. \begin{array}{l} I_破 = \dfrac{(\Delta_S - 1)(1 - n)}{\gamma_w} \\[3mm] I_允 = \dfrac{I_破}{K} \end{array} \right\} \tag{6-18}$$

$$t = \frac{KIt_1\gamma_w - (\Delta_S - 1)(1 - n)t_1}{\gamma} \tag{6-19}$$

式中　Δ_S——土的密度;

n——土的孔隙率;

I——弱透水表土的渗透比降;

t_1——表土厚,m;

γ_w——水的密度;

t——盖重厚,m;

γ——盖重密度,水下用浮密度,水上用湿密度;

K——抗流土安全系数,取 $1.5 \sim 2.0$。

(2)无粘性土:用表6-1选取。表中数字针对无反滤层保护,如有,可增大允许渗透比降。对于重要土石坝应通过试验确定允许渗透比降。

表6-1　　　　　　　　无粘性土允许渗透比降

允许渗透比降	渗透变形型式					
	流土型			过渡型	管涌型	
	$C_u \leqslant 3$	$3 < C_u \leqslant 5$	$C_u > 5$		连续级配	不连续级配
$I_允$	$0.25 \sim 0.35$	$0.35 \sim 0.5$	$0.5 \sim 0.8$	$0.25 \sim 0.40$	$0.15 \sim 0.25$	$0.1 \sim 0.2$

第二节　坝坡稳定

坝坡稳定计算是为了保证土石坝在自重,各种情况下的孔隙压力和一些外荷载(如水压力及地震力等)作用下具有足够的稳定性,不至于产生通过坝体或坝体和地基的整体剪切破坏。针对拟定的坝体断面布置,所采用的筑坝材料和相应的各种物理力学性指标如密度、抗剪强度等。在完成渗流计算的基础上,进行坝坡稳定计算,以确定上下游坡,保证大坝安全运行。本节不涉及地震作用下的坝坡稳定计算,仅提供遇到地震情况下的最小安全系数,有关地震区土石坝坝坡的稳定分析在第七章"抗震设计"中专门阐述。

一、稳定计算分期、运用条件和最小安全系数

(一)稳定计算分期

稳定计算通常可分 3 个时期:

(1)施工期(包括竣工期):坝体逐渐填高直至竣工,在填土自重作用下,土料孔隙中气体压缩,产生孔隙压力,对坝坡稳定不利,应核算上下游坡稳定。

(2)稳定渗流期:土石坝投入正常运行,坝体形成稳定渗流,在高水位时库水压力对上游坝坡稳定有利,一般仅核算下游坡稳定,但当库水位在高水位以下的某一不利水位时,尚需核算上游坡稳定。

(3)水库水位降落期:运行时,库水位降落,往往对上游坝坡稳定不利,需要核算。

(二)运用条件

(1)正常运用条件:①水库水位处于正常高水位(或设计洪水位)至死水位之间各种水位的稳定渗流;②库水位在上述范围内的

正常降落。

(2)非常运用条件Ⅰ:①施工期;②校核洪水位下可能形成的稳定渗流情况;③水库水位的非常降落,如自校核洪水位下降,降至死水位以下;④遇意外情况紧急快速泄空等。

(3)非常运用条件Ⅱ:正常运用条件遇地震。

(三)安全系数

坝坡抗滑安全系数 $K = \dfrac{抗剪强度}{剪应力}$,要求最小安全系数见表6-2。

表6-2 **坝坡抗滑稳定最小安全系数**

运用条件	工程等级			
	1	2	3	4、5
正常运用条件	1.50(1.30)	1.35(1.25)	1.30(1.20)	1.25(1.15)
非常运用条件Ⅰ	1.30(1.20)	1.25(1.15)	1.20(1.10)	1.15(1.05)
非常运用条件Ⅱ	1.20(1.10)	1.15(1.05)	1.15(1.05)	1.10(1.00)

注:(1)该表来自《碾压式土石坝设计规范》(SL274—2001)8.3.10条及8.3.11条。

(2)表列最小安全系数适用于计及条块间作用力的抗滑稳定计算方法,其中括号内数字适用于未计入条块间作用力的瑞典圆弧法,约减小8%。

二、抗剪强度

(一)粘性土

坝体填土抗剪强度 τ 由粘聚力 C 及垂直于滑动面的法向应力 σ 所产生的摩阻力 $\sigma\tan\phi$ 所组成,ϕ 为内摩擦角,以库伦公式表示:

$$\tau = C + \sigma\tan\phi \qquad (6\text{-}20)$$

随着对法向应力的不同考虑,抗剪强度分为有效应力法及总应力法。有效应力法在计算中要考虑孔隙压力,法向应力是指将总应力扣掉孔隙压力后的有效应力,抗剪强度指标采用排水剪。而总应力法的法向应力以总应力表示,不扣除孔隙压力,不计算孔隙压力,而将孔隙压力对抗滑稳定的影响在采用不排水剪抗剪强度指标中给予反映。应指出用有效应力法及总应力法来求,抗剪强度主要针对粘性土,两种方法的表示形式见式(6-21):

有效应力法:$\tau = C' + (\sigma - u)\tan\phi' = C' + \overline{\sigma}\tan\phi'$ （粘性土）

总应力法: $\tau = C_u + \sigma\tan\phi_u$ （粘性土）

$$(6-21)$$

式中　τ ——土体抗剪强度;

　　　ϕ'、C'——三轴排水剪(或直剪仪慢剪)强度指标;

　　　ϕ_u、C_u——三轴不排水剪(或直剪仪快剪,只适用于渗透系数 $K < 10^{-7}$cm/s)强度指标;

　　　$\overline{\sigma}$——法向有效应力;

　　　σ——法向总应力;

　　　u——孔隙压力。

有效应力法适用于土石坝的各个时期,即施工期、稳定渗流期及水库水位降落期。其强度指标测定和取值比较稳定可靠,各期孔隙压力可以计算或测定,故可作为基本方法。总应力法主要用于施工期。

(二)无粘性土

由于透水性大,迅速排水固结,不存在固结过程而产生孔隙压力,一般都采用有效应力法,抗剪强度采用排水剪强度指标中的 $\phi'(C' = 0)$。

(三)抗剪强度指标的整理和使用

对于直剪试验结果,从不少于 11 根的抗剪强度包线中各查得相当于法向压力的 100,200,300,400kPa 的抗剪强度 τ 共 4 组,取各组小值的平均值,它们与相应的法向压力组成强度包线,定出强度指标,作为设计采用值。对于三轴剪切试验成果,从不少于 11 组剪切试验成果中取得相当于均匀围压 σ_3 为 100,200,300,400kPa 的破坏应力圆的直径和圆心位置各 4 组(即 11 个样中每个样都有 4 组),取直径的最小平均值和圆心的平均值,绘出 4 个相应的破坏应力圆,定出强度包线和强度指标,作为设计取值。对于高坝应相应提高 σ_3 及轴向压力 σ_1。

三、孔隙压力

孔隙压力是指土体孔隙中水和空气的压力,通常以超出大气压力的压力值来表示。如在坝体某点 A 插上测压管,管内稳定水深为 h,则 A 点的孔隙压力 $u_A = \gamma_w \cdot h$,γ_w 为水的容重。用有效应力法分析坝坡稳定,必须了解坝体孔隙压力,不同时期坝体孔隙压力计算方法如下。

(一)施工期

施工期填土由空气、水及土骨架(即三相)所组成,在自重作用下,土孔隙中气体压缩,产生孔隙压力,由于分布不均匀,引起不稳定渗流,产生排气排水,孔隙压力逐渐消散,填土逐渐固结。工程经验判明,如填土渗透系数 $K > 10^{-4}$cm/s,则孔隙压力消散迅速,可以不计;如 $K < 10^{-6}$cm/s,孔隙压力消散极慢,可认为不消散,当 $K = 10^{-4} \sim 10^{-6}$cm/s 时,应进行消散计算。

1.孔隙压力不消散

1)由公式计算

根据单向固结试验,由式(6-22)求得不排水、不排气密闭状态下的初始孔隙压力 u,这也就是不消散情况下的孔隙压力。具体应用时:

$$u = \frac{P_0(e_0 - e)}{e - 0.98\omega \dfrac{\Delta}{\gamma_w}} \tag{6-22}$$

式中　P_0——大气压力,0.103MPa;

　　　e_0——与填筑干密度相应的起始孔隙比,为已知;

　　　e——在某一有效压应力 $\bar{\sigma}$ 作用下,压缩后的孔隙比;

ω——填土起始含水量,为已知;

Δ——填土密度。

γ_w——水的密度。

先利用单向固结试验求得孔隙比 e 与有效压应力 $\bar{\sigma}$ 关系曲线 $e \sim \bar{\sigma}$,由曲线上量取相应于不同有效应力 $\bar{\sigma}_1$、$\bar{\sigma}_2$、$\bar{\sigma}_3$ 的孔隙比 e_1、e_2、e_3 分别作为 e 值代入式(6-22),求得相应的孔隙压力 u_1、u_2、u_3,按总应力 $\sigma = \bar{\sigma} + u$,求得 $\sigma_1 = \bar{\sigma}_1 + u_1$,$\sigma_2 = \bar{\sigma}_2 + u_2$,$\sigma_3 = \bar{\sigma}_3 + u_3$;从而求得相应于起始含水量 ω_1 的 $u = f(\sigma)$,如图 6-20(a)。其平均坡率即孔隙压力系数 $\bar{B} = \dfrac{u}{\sigma}$。具体应用:根据滑动面上任一点由土柱重产生的总应力 σ,查图 6-20(a)得相应孔隙压力 u。式(6-22)中 u 值对 ω 反应敏感。如以 ω 为参变数,得 $u = f(\sigma)$见图 6-20(b),这说明,填筑含水量愈高,起始孔隙压力愈大。式(6-22)利用了单向固结仪试验成果,是假定填土为无侧向变形,并忽略粘结水作用,与实际有一定出入,但与国外一些碾压土石坝实测最大孔隙压力值相比尚属接近。当填土饱和度较高时(如大于90%),用上法计算孔隙压力可能偏高。

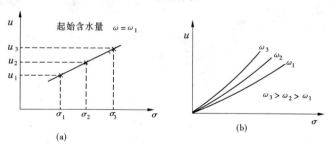

图 6-20　孔隙压力 u 与有效应力 σ 关系曲线

2)用三轴仪直接测定

式(6-22)是假定土体无侧向变形,即 $\bar{\sigma}_3 / \bar{\sigma}_1 = \bar{K}_0$($\bar{\sigma}_1$ 和 $\bar{\sigma}_3$ 分

别为土样大、小有效应力，$\overline{K}_0$ 为静止侧压力系数）。实际上坝体填土在自重作用下有一定侧向变形，即 $\overline{\sigma}_3/\overline{\sigma}_1 \neq K_0$，而在 $\overline{K}_0$ 与 $\overline{K}_f$ 之间（$\overline{K}_f$ 是土体处于极限平衡状态下的 $\overline{\sigma}_3/\overline{\sigma}_1$，$\overline{K}_f < \overline{K}_0$），可用三轴仪测定密闭状态下相应于 $\overline{K}_0$、$\overline{K}_f$ 和各种 $\overline{K}$ 的孔隙压力 u 及孔隙压力系数 $\overline{B}$。

(1)$\overline{K}_0$ 情况，每加一级 σ_1，可得一个相应 σ_3（通过专门装置以确定在该 σ_3 作用下土样无侧向变形），并测得相应 u，点绘 σ_1 与 u 的关系，其坡度即为相应于 $\overline{K}_0$ 的 $\overline{B}$。

(2)$\overline{K}_f$ 情况，每加一级 σ_1，可得一个相应 σ_3，使土样破坏，并测出 u。变换 σ_1，重复上述试验，得 σ_1 与 u 的关系及相应坡度 $\overline{B}$。

(3)不同 $\overline{K}$ 情况，每固定一个 σ_3，加不同 σ_1，得相应的 u 和 $\overline{\sigma}_3$、$\overline{\sigma}_1$，及两者比值 $\overline{\sigma}_3/\overline{\sigma}_1$。以 σ_3 为参变数的 σ_1 及 u 与 $\overline{\sigma}_3/\overline{\sigma}_1$ 的关系曲线如图 6-21。固定某一 $\overline{K}$（例如 0.6），由图 6-21 量得相应于不同 σ_3 的 σ_1 与 u 值，见图 6-22(a)，其坡度即为 $\overline{B}$。变换 $\overline{K}$ 值重复以上步骤，整理出成果如图 6-22(b)，其坡度即相当于不同 $\overline{K}$ 值的 $\overline{B}$。

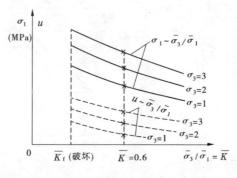

图 6-21

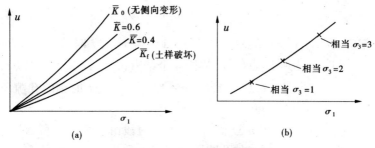

图 6-22 $\sigma_1 \sim u$ **关系曲线**

2. 孔隙压力消散计算

1）计算公式

施工期填土处在固结过程中，孔隙大小不断变化，为非稳定渗流，按三相二元固结方程式（6-23）进行计算。

$$\frac{\partial u}{\partial t} = \overline{B} \cdot \gamma \frac{\partial h}{\partial t} + C_v{}'(\frac{\partial^2 u}{\partial x^2} + \frac{\partial^2 u}{\partial z^2}) \qquad (6\text{-}23)$$

式中　γ——土的湿容重；

　　　h——填土高；

　　　t——时间；

　　　$C_v{}'$——非饱和土固结系数，由试验测定；

　　　x,z——横坐标值及纵坐标值；

　　　u——填土孔隙压力；

　　　$\overline{B}$——初始孔隙压力系数，求法见前文。

式中，γ、$\overline{B}$ 和 C_v' 在填土过程中都是变数，为简化，都以常数处理。上式可用有限元通过电子计算机求解，也可采用如下有限差分法求解，以平行于 x、z 坐标轴的直线把坝断面分成若干正方形网格，并令边长等于每层填土厚，即 $\Delta x = \Delta z = \Delta h$（图 6-23）。取消散时间间隔 $\Delta t = \dfrac{\overline{\Delta h}^2}{4C_v}$，经换算后式（6-23）变成式（6-24）：

$$u_{t+1,i,k} = \overline{B}\gamma\Delta h + \frac{1}{4}\diamondsuit_{t,i,k} \qquad (6\text{-}24)$$

式中 $u_{t+1,i,k}$——结点 (i,k) 在 $t+1=(n+1)\Delta t$ 时的孔隙压力;

$\diamondsuit_{t,i,k}$——结点 (i,k) 周围 4 个结点 $(i+1,k)$、$(i-1,k)$、$(i,k+1)$、$(i,k-1)$ 在 $t=n\Delta t$ 时刻的孔隙压力和;

$\overline{B}\gamma\Delta h$——在 $n\Delta t$ 到 $(n+1)\Delta t$ 时段由于填土加高 Δh 而增加的孔隙压力。

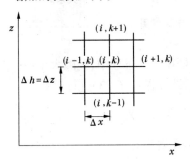

图 6-23

2)边界条件

在填土表面的透水坝基和坝内部排水处的结点,在任何时刻,孔隙压力 $u=0$。在不透水地基上因无渗流发生,其上各结点必须满足 $\dfrac{\partial u}{\partial z}=0$,故在该面以下设一排对称的虚拟结点(图 6-24),在任何时刻上下对应结点孔隙压力相等,即:

$$u_{\text{Ⅵ-0}} = u_{\text{Ⅵ'-0}};u_{\text{Ⅵ-1}} = u_{\text{Ⅵ'-1}}\cdots\cdots$$

3)计算步骤

①确定土的设计指标 γ、C'_v 及 $\overline{B}$ 等;②将坝高 H 分成 $6\sim8$ 层,每层厚 Δh,使断面成正方形网格,并编号;③计算消散时间间隔 $\Delta t = \dfrac{\overline{\Delta h}^2}{4C'_v}$;④假定填土分层进行,每层厚 Δh,并瞬时填上,在该

· 182 ·

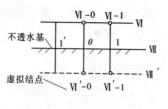

图 6-24

层以下各结点孔隙压力都在瞬时增加 $\Delta u = \overline{B}\gamma\Delta h$；⑤每瞬时填上厚 Δh 的土层后，即停下按式(6-24)列表进行消散计算。停下时间为 ΔT(等于填筑厚 Δh 土层的实际施工时间)，因用差分法所采用时段为 $\Delta t = \dfrac{\overline{\Delta h}^2}{4C_v}$(故消散次数 $n = \dfrac{\Delta T}{\Delta t}$，$n$ 取整数)；⑥重复上述计算，逐层填筑直至竣工。按各结点孔隙压力，绘制等值线图，供稳定计算时查用。

刚完工时一些孔隙压力等值线示意图见图 6-25。

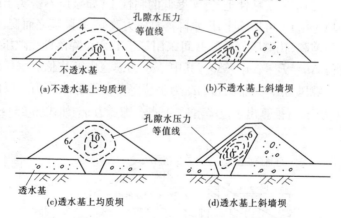

(a)不透水基上均质坝　　　　　　(b)不透水基上斜墙坝

(c)透水基上均质坝　　　　　　　(d)透水基上斜墙坝

图 6-25　刚完工时各种坝型孔隙压力等值线示意

(二)稳定渗流期

根据流网的等势线求得。如图 6-26 上任一等势线 aa' 上任意

· 183 ·

点 b 的孔隙压力 u_b 等于 b 点与 a' 点(该等势线与浸润线的交点)的铅直距离 h 乘水容重 γ_w,即 $u_b = \gamma_w \cdot h$。

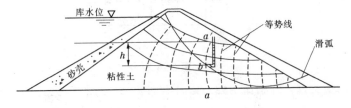

图 6-26

(三)水库水位降落期

(1)无粘性土或压实标准高的粘性土:为不可压缩土,库水位降落后虽总压力改变,但孔隙不变,可根据边界条件绘制水位降落期流网(典型示例见图6-17~图6-19),再照上法求得孔隙压力。

(2)不密实粘性土:密实度低的粘性土(如碾压不密实土或水中填土坝)为可压缩土,库水降落总应力改变,孔隙随之而变,此时土体饱和,孔隙压力系数 $\overline{B}$ 可采用等于1,水位降落期孔隙压力变化值 $\Delta u = \overline{B} \times \Delta\sigma_1 = \Delta\sigma_1$,其中 $\Delta\sigma_1$ 为总应力变化值。水位降落后孔隙压力 $u = u_0 + \Delta u$,u_0 为水位降落前孔隙水压力。以图6-27为例,可推算出水位降落后 A 点孔隙压力 u_A 如式(6-25):

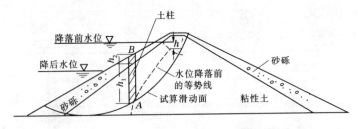

图 6-27　水位降落期粘性填土内的孔隙压力(可压缩土)

$$u_A = \gamma_w [h_1 + h'_2 (1 - n_e) - h'] \qquad (6\text{-}25)$$

式中 γ_w——水容重;

h_1——A 点以上粘性填土的土柱高度;

h_2——A 点以上强透水填土的土柱高度;

n_e——强透水填土的有效孔隙率;

h'——稳定渗流期库水到达 A 点的水头损失值。

四、静力稳定分析

本段只介绍计算原理及有关公式,实际运用已广泛利用程序,由电子计算机完成。计算原理:采用极限平衡法进行在静力作用下的(有地震情况见第七章)坝坡稳定分析,可分为圆弧滑动法及滑楔法。

(一)圆弧滑动法

对于均质坝、厚心墙或厚斜墙坝,滑动面往往接近圆弧,采用条分法,将滑动面上土条以铅直线分成若干条块,对各条块上作用力进行力或力矩的极限平衡分析,以沿滑动面阻滑力总和除以滑动力总和得安全系数,基本表示方式为抗滑安全系数 $K = \dfrac{抗滑力总和}{滑动力总和} = \dfrac{\sum N \tan\phi + C}{\sum T}$,$N$、$T$ 分别为作用在土条底部滑动面上法向力及剪切力,ϕ、C 为填土抗剪强度指标。圆弧滑动法可分为不考虑条块侧面作用力的瑞典圆弧法及考虑条块上侧面作用力的简化毕肖普法,分述如下。

1.瑞典圆弧法

(1)施工期:用有效应力法(图 6-28)及总应力法分别由式(6-26)及式(6-27)求抗滑安全系数 K:

$$有效应力法\ K = \frac{\sum [C'b\sec\beta + (W\cos\beta - ub\sec\beta)\tan\phi']}{\sum W\sin\beta} \qquad (6\text{-}26)$$

总应力法
$$K = \frac{\sum \left[C_u b \sec\beta + W \cos\beta \tan\phi_u \right]}{\sum W \sin\beta} \qquad (6\text{-}27)$$

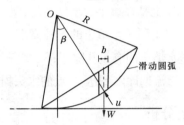

图 6-28　施工期用瑞典圆弧法计算示意(有效应力法)

(2)稳定渗流期或库水位降落期:用有效应力法求抗滑安全系数 K ,见式(6-28)及图6-29。

$$K = \frac{\sum \left\{ C' b \sec\beta + \left[(W_1 + W_2)\cos\beta - (u - \gamma_w Z) b \sec\beta \right] \tan\phi' \right\}}{\sum (W_1 + W_2)\sin\beta}$$

$$(6\text{-}28)$$

式(6-26)~式(6-28)中:

　　b——条块宽度;

　　β——条块中心线与通过条块底面中点的圆弧半径之间夹角,条块有下滑趋势时, β 为正号,反之为负号,即图6-29中 OA 以右 β 为正号,以左为负号;

　　W_1——在坝坡外水位以上的条块实重(包括土骨架和孔隙水重);

　　W_2——在坝坡外水位以下的条块浮重;

　　W——条块实重(施工期为整个坝体);

　　Z——坝坡外水位高出条块底面中点的距离;

　　u——作用在条块底面的相应于各个时期的坝体或坝基孔隙压力;

　　ϕ', C'——排水剪强度指标;

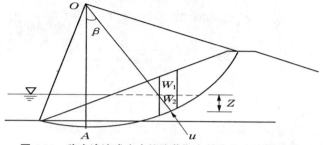

图 6-29 稳定渗流或库水位降落期有效应力法计算示意

ϕ_u, C_u——不排水剪强度指标,用于以总应力法分析施工期坝坡稳定时,配制相当于坝体实际填筑干密度及含水量的土样进行试验。

(3)库水位降落期也可用总应力法:假定在库水位降落前,在稳定渗流作用下坝体已经固结,而库水位降落相当于对滑弧施加剪应力,可采用总应力法,即不考虑库水位降落引起坝体孔隙压力的变化,沿滑弧的法向有效应力与水位降落前相同,但强度指标采用固结不排水剪 φ_{cu}、C_{cu},而滑动力则采用库水降落后。为此,在计算式(6-28)的分子中 W_1 和 W_2 是针对降落前库水位,而计算式的分母中,W_1 和 W_2 则是相应于降落后库水位。u 采用库水位降落前沿滑弧孔隙压力,Z 是对应于降落前库水位;将分子 $\tan\phi'$ 及 C' 分别改为固结不排水剪强度指标 $\tan\phi_{cu}$ 及 C_{cu}。

2. 简化毕肖普法

计及条块侧面作用力,并假定方向为水平。

(1)施工期:用有效应力法及总应力法求抗滑安全系数 K 分别见式(6-29)、式(6-30)。

$$K = \frac{\sum\left\{\left[C'b\sec\beta + W\sec\beta(1-\overline{B})\tan\phi'\right]\cdot\dfrac{1}{1+\dfrac{\tan\phi'\tan\beta}{K}}\right\}}{\sum W\sin\beta}$$

(6-29)

$$K = \frac{\sum \left\{ \left[C_u b \sec\beta + W \sec\beta \tan\phi_u \right] \cdot \dfrac{1}{1 + \dfrac{\tan\phi_u \tan\beta}{K}} \right\}}{\sum W \sin\beta}$$

$$(6\text{-}30)$$

以上 $\overline{\beta}$ 为孔隙压力系数,其余符号意义同上。

(2)稳定渗流及库水位降落期:用有效应力法求抗滑安全系数 K 见式(6-31)。

$$K = \frac{\sum \left\{ C'b \sec\beta + \left[(W_1 + W_2) \sec\beta - (u - \gamma_w Z) b \sec\beta \right] \tan\phi' \right\}}{\sum (W_1 + W_2) \sin\beta}$$

$$\times \frac{1}{1 + \dfrac{\tan\phi' \tan\beta}{K}} \tag{6-31}$$

(3)库水位降落期也可用总应力法,有关计算方法与瑞典圆弧法相同,对式(6-31)中 W_1、W_2、u、Z、$\tan\phi'$、C'进行改换。

目前已广泛利用电子计算机进行以上有关求抗滑稳定安全系数 K 的运算,并寻找出最小安全系数。可用上述渗流计算的(二)数值解法中所提规划院 3 号文中推荐的 3 个土石坝边坡稳定计算程序:①中国水科院稳定分析程序《土质边坡稳定分析程序—STAB》,编制者陈祖煜;②昆明院稳定分析程序,编制者孙君实;③西北院稳定分析程序,编制者王复来。以上 3 个程序都具有土石坝在各个时期的稳定计算功能,完成许多边坡稳定分析任务,其中①应用较广。

应指出,考虑条块间作用力的简化毕肖普法更为合理。简化毕肖普法算出的安全系数,一般大于瑞典圆弧法,由于以往已用瑞典圆弧法设计许多土石坝坝坡,有广泛的实践基础,因此为了避免算出坝坡比已有工程明显偏陡,故表 6-2 中简化毕肖普法要求的最小安全系数高于瑞典圆弧法。

(二)滑楔法

对于有软土夹层的地基,以及薄斜墙和薄心墙坝,滑动面应采用折线,分为若干楔块,如图 6-30(a)中 1234,3456,567 及(b)中 abc,$cbde$ 及 edf 等,进行稳定计算,称滑楔法。

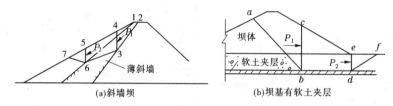

(a)斜墙坝   (b)坝基有软土夹层

图 6-30   楔体间作用力方向示意

楔块间作用力方向对安全系数影响很大,可假定与滑动方向大抵一致,对斜墙坝采取与坝坡一致,对有软土夹层取水平(图 6-30)方向。

进行滑楔法计算,可采用等安全系数法,即各楔块在滑动面上抗剪强度的发挥程度是一样的,当各楔块的抗剪强度除以 K 后,处在极限平衡状态,K 就是所求安全系数。可用长度代表力,绘制力多边形,用图解法代替计算。以斜墙坝为例(图 6-31(a)),先任意假定安全系数 K_1,绘力多边形,求得楔块 1234(重 W_1),传给楔块 3456(重 W_2)的推力 P_1,和楔块 3456 传给楔块 567(重 W_3)的推力 P_2,以及楔块 567 的阻滑力 P'_2(图 6-31(b)),另假定 $K = K_2$ 重复以上计算,从而求得 $P_2 \sim K$ 及 $P'_2 \sim K$ 关系曲线见图 6-31(c),与两条曲线交点相对应的 K 即为所求安全系数,此时滑动力 P_2 等于阻滑力 P'_2,为极限平衡。

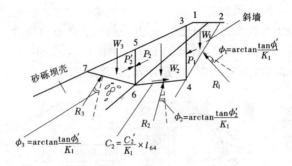

(a)斜墙滑楔法力系示意

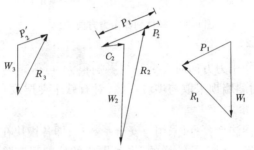

(b)各楔块力系图解(求P_2, P_2')

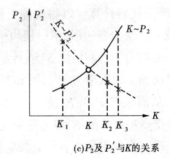

(c)P_2及P_2'与K的关系

图6-31 滑楔法图解计算示意

第三节 沉 降

沉降计算是为了核算土石坝是否会产生危及坝体安全的过大沉降,计算总沉降量和竣工时沉降量,据此确定竣工后沉降量,确定坝顶预留超高。预估坝体各部位不均匀沉降量及不均匀沉降梯度,依此判断是否会产生裂缝及防止裂缝措施。

一、沉降计算所需基本资料

(一)坝体及坝基土的物理力学性指标

内容包括:干密度 γ_d、含水量 ω、孔隙比 e、容重 Δ、渗透系数 K、固结系数 C_v 等。坝体填土指刚填筑时的情况,地基土为天然状态。

(二)压缩曲线

进行沉降计算需要压缩曲线。地基土采用原状土样,而坝体土试样采用筑坝土料,制备成相当于上坝碾压后的干密度和含水量进行压缩试验。以上两种土在计算施工期沉陷量时,试验所用土样不进行浸水饱和(地基土如在地下水位以下,土样应饱和),而计算最终沉陷量时应进行浸水饱和。沉降计算系分层进行,先求平均压缩曲线,再求计算用的压缩曲线。根据式(6-32)求出平均压缩曲线上各点的孔隙比 e_p:

$$e_p = \frac{\sum_1^n e_{ip}}{n} \tag{6-32}$$

式中　　e_p——在压力 p 作用下,某一分层土的平均孔隙比;

e_{ip}——在压力 p 作用下,某试样的孔隙比;

n——对某一分层进行了压缩试验的数量。

用式(6-32)求得相应于 $p=0$ 的孔隙比为 e_0',从而绘得平均压缩曲线 1 见图 6-32。计算用压缩曲线起始孔隙比 e_0 按式(6-33)计算：

$$e_0 = \frac{\sum\limits_{i=1}^{m} e_{i0}}{m} \qquad (6\text{-}33)$$

式中　e_{i0}——某一分层中某一试样的起始孔隙比；

　　　m——某一分层中试验总数，包括进行压缩试验的试样
（总数为 n），以及未进行压缩试验，但测定了孔隙
比的试样，即一般 $m > n$。

令 $\Delta e = e_0 - e_0'$，将曲线 1 向上或向下平移 Δe_0 得曲线 2，即
为该分层的计算用的压缩曲线，见图 6-32。

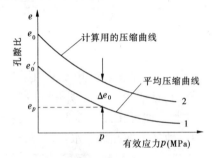

图 6-32　平均及计算用的压缩曲线

(三)孔隙压力

为了计算坝体有效应力，了解与之相应的孔隙比，从而计算沉
降量，必须取得孔隙压力数值，将总应力减孔隙压力得有效应力。
坝体孔隙压力计算方法见本章第二节坝坡稳定的第三部分。

二、沉降计算点的选定

根据坝高及坝段的地形地质变化情况，沿坝轴方向选若干有
代表性断面进行计算，一般不少于 3 个，即河床最大断面及左右岸

坝肩(或台地)各 1 个,在地形及地质条件突变处还应补加计算断面。在每一断面至少计算 3 根垂线,即坝轴及上下游中点处。

三、坝体和坝基的竖向总应力

(一)坝体

坝体中任一点因自重引起竖向总应力,等于该点处单位面积以上的土柱重。

(二)坝基

竖向总应力由坝基土体自重和因坝体荷载产生的附加应力叠加组成。其中附加应力是产生坝基沉降的根源,计算方法如下:

(1)当地基可压缩层厚度 y 与坝基宽 B 之比小于 0.1(对于高坝),或小于 0.25(对于中坝)时,可不考虑坝体荷载在坝基内扩散,直接取坝体荷载在坝基面的分布,作为可压缩层附加应力分布。

(2)如地基可压缩层厚大于上值,则应考虑坝体荷载在坝基中的扩散,将坝体自重作为外荷载,按弹性理论查有关图表或通过有限元计算确定坝基任一点的附加荷载,或采用以下简化办法:假定坝体荷载从坝基面向外以 45° 扩散,在每一水平面上按三角形分布,其顶点与坝体自重合力 R 的作用线吻合,则计算土层面上最大竖向总应力 $P_{\max}$ 见式(6-34):

$$P_{\max} = \frac{2R}{B + 2y} \tag{6-34}$$

式中　$P_{\max}$——计算层面上的最大竖向应力,kPa;

　　　R——坝体自重,kN;

　　　B——坝体底宽,m;

　　　y——计算层离基面深,m。

而任一点竖向总应力 P:

$$P = P_{\max} \cdot \frac{L - x}{L} \tag{6-35}$$

以上计算见图6-33。产生沉降的是竖向有效应力,即竖向总应力减孔隙压力。

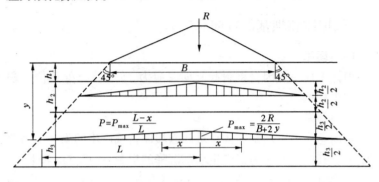

图 6-33

四、沉降计算

本段介绍计算原理及公式,目前实际计算多已利用已有程序通过电子计算机完成。

(一)坝体及坝基计算分层

无论坝体或坝基都分层计算沉陷量:①坝体分层厚度不大于坝高的 1/10~1/5;②均质地基分层厚不大于坝底宽的 1/4;③非均质地基按其性质和类别划分计算层,但每层厚不大于坝底宽的 1/4;④取每层中点计算竖向总应力。

(二)粘性土坝体沉降计算

利用如图 6-32 所示的计算用的压缩曲线 2,以分层总和法按式(6-36)计算 t 时刻的坝基总沉降量 S:

$$S = \sum_{i=1}^{n} \frac{e_{i0} - e_i}{1 + e_{i0}} h_i \tag{6-36}$$

式中　e_{i0}——第 i 层的起始孔隙比;

　　　e_i——第 i 层在 t 时刻与填土自重产生的竖向有效应力 σ_i

相对应的孔隙比；

h_i——第 i 层厚；

n——分层数。

如 σ_i 以最终竖向有效应力(等于固结完成后的土体自重)代入,可求得最终沉降量；如 σ_{it} 以竣工时竖向有效应力(等于土体自重产生的竖向总应力减竣工时孔隙压力)代入,可求得施工期沉降量。对 3 级及 3 级以下土石坝,施工期沉陷量可按最终沉降量80%估算。

(三)粘性土坝基沉降量计算

(1)计算采用的压缩层：如坝基压缩土层较厚,可采用因填土产生的附加应力等于自重应力的 20% 处作为计算用的压缩层底部边界,离基础表面距离为计算采用的压缩层厚。

(2)坝基总沉降量 S：仍用式(6-36),但 e_{i0} 为第 i 层与由坝基自重产生的原存应力相对应的起始孔隙比,而 e_i 为与原存应力加坝体填土引起的附加应力相对应的孔隙比。

(3)沉降与时间关系：若坝基为饱和土且为均质土层,或由若干透水性小的可压缩土层组成,各层间夹以透水层,则在 t 时间的第 i 层沉降量 S_{it} 及 t 时间的整个坝基沉降量 S_t 由式(6-37)计算。式中,$\overline{U}_t$ 为第 i 层在 t 时间的固结度,由式(6-38)计算：

$$\left.\begin{array}{l} S_{it} = \overline{U}_t \cdot S_i \\ S_t = \sum_{i=1}^{n} \overline{U}_t \cdot S_i \end{array}\right\} \tag{6-37}$$

$$\overline{U}_t = 1 - \frac{8}{\pi} \mathrm{e}^{-Mt} \tag{6-38}$$

式中　S_i——第 i 层最终沉降量；

　　　e——自然对数的底；

　　　M——计算参数,$M = \dfrac{\pi^2 K_i (1 + e_i)}{a_i \gamma_{\mathrm{w}} (m h_i)^2}$。

其中　　K_i——第 i 层土的渗透系数,cm/a;

　　　　a_i——第 i 层土相应于竖向有效应力的压缩系数,cm^2/N;

　　　　γ_w——水容重,0.01N/cm^3;

　　　　m——系数,当土层为单面排水,$m=1$,当土层为双面排水

　　　　　　$m=0.5$;

　　　　e_i——第 i 层土的起始孔隙比;

　　　　h_i——第 i 层土厚,m;

　　　　t——沉降延续时间,年。

固结度 $\overline{U}_t$ 与 M_t 关系见表6-3。第 i 层达最终沉降(相应于平均固结为99%)所需时间 t 见式(6-39):

$$t = \frac{4.39}{M} \tag{6-39}$$

表 6-3　　　　　　　　固结度 $\overline{U}_t$ 与 M_t 的关系

U_t (%)	5	10	15	20	25	30	35	40	45	50
M_t	0.005	0.02	0.04	0.08	0.12	0.17	0.24	0.31	0.39	0.49
U_t (%)	55	60	65	70	75	80	85	90	95	100
M_t	0.59	0.71	0.84	1.00	1.18	1.40	1.69	2.09	2.80	∞

根据 M 及历时 t 的 M_t,查表6-3,得相应固结度 $\overline{U}_t$,代入式(6-37),求得相应于时间 t 的各层沉降量 S_{it} 和坝基总沉降量 S_t。整个地基土层沉降延续时间,由压缩终了延续时间最长的一层所需的时间来确定。

(4)如坝基压缩层内土层是由直接相叠的粘性土层组成,而各层的压缩特性 $\dfrac{1+e_i}{a_i}$ 及渗透系数 K_i 都不相同,则受压层总厚仍等

于各分层之和,仍用上法计算固结度,但采用如式(6-40)所示平均指标:

$$\left(\frac{1+e_0}{a}\right)_{平均} = \frac{P\sum_{i=1}^{n}h_i}{\sum_{i=1}^{n}S_i}$$

$$K_{平均} = \frac{\sum_{i=1}^{n}h_i}{\sum_{i=1}^{n}h_i/K_i} \qquad (6\text{-}40)$$

$$M = \frac{\pi^2 K_{平均}}{\gamma_w\left(m\sum_{i=1}^{n}h_i\right)^2}\left(\frac{1+e_0}{a}\right)_{平均}$$

式中　P——受压层总厚一半处由坝体荷重引起的附加应力;

　　　e_0——起始孔隙比;

　　　其余符号意义同前。

(四)坝体或坝基为粗粒料沉降计算

如坝体、坝基为砂砾或卵砾石、石渣等粗粒料,其最终沉降量 S_∞ 可根据变形模量,用分层总和法,用式(6-41)计算:

$$S_\infty = \sum_{i=1}^{n}\frac{P_i}{E_i}h_i \qquad (6\text{-}41)$$

式中　P_i——第 i 层因坝体荷重产生的竖向应力;

　　　E_i——第 i 层粗粒料的压缩模量。

粗粒料渗透系数一般都大于 $10^{-3} \sim 10^{-4}\,\text{cm/s}$,可认为沉降量在施工期都已完成。

(五)坝的预留沉降超高

各断面预留沉降超高 δ 可按式(6-42)估算:

$$\delta = S_\infty' + S_\infty'' - S_c' - S_c'' \qquad (6\text{-}42)$$

式中 $S_\infty{}'$, $S_\infty{}''$——各相应断面计算的坝体和坝基最终沉降量;

$S_c{}'$, $S_c{}''$——坝体和坝基施工期的沉降量,坝体施工期沉降量见(二)所述,坝基施工期沉降量,可根据施工时间按(三)的办法分层计算竣工期固结度 $\overline{U}_i$,由各层最终沉降量 $S''_{\infty i}$ 乘 $\overline{U}_i$ 得各层施工期沉降量,其总和即坝基施工期沉降量。

国内外土石坝实践证明,经过正常压实的坝体填土,完工后沉降量一般为坝高的 0.2%～0.5%,如留余地,可按坝高的 0.5%～0.7%预留坝体沉降超高。国内外一些土石坝竣工后沉降量占坝高百分比见表6-4。

(六)利用已有固结计算程序,用电子计算机进行沉降计算

参照前述规划院3号文,可以采用如下3个固结计算程序:①南科院固结计算程序,编制者沈珠江;②河海大学及黄科所固结计算程序,编制者殷宗泽、朱泽民;③黄科所固结计算程序,编制者朱泽民。

第四节　应力应变

一、概述

进行土石坝应力应变计算是为了了解坝体及坝基在各个阶段(施工期、蓄水期、稳定渗流期、库水位降落期等)在自重及各种外荷载作用下的应力和应变。通过大小主应力分布,竖向和水平位移及变形分析,以查明如下问题,并采取相应措施。

(1)是否存在剪切破坏区及其延伸范围:根据大小主应力 σ_1 及 σ_3 分布情况,按式(6-43)计算应力水平 S,如 $S \geqslant 1$ 表示已产生剪切破坏。可绘制 S 等值线图,判断坝体、坝基是否产生剪切破

表 6-4

国内外若干土石坝竣工后沉降量占坝高百分比

坝 名	坝 型	坝高(m)	竣工后沉降量占坝高百分比(%)	坝 名	坝 型	坝高(m)	竣工后沉降量占坝高百分比(%)
牧尾	心墙	105	0.09	库加尔(Cougar)	斜心墙	136	0.3
鱼梁濑	心墙	115	0.11	伯西米斯1号(Bersimis No.1)	斜心墙	61	0.1
水连	心墙	105	0.22	黑川	斜心墙(接近心墙)	98	0.26
泥山(Mud Mountain)	心墙	130	0.98	大伙房	心墙	48	0.1
樱桃谷(Cherry Valley)	心墙(近均质坝)	101	0.14	清河	斜墙	39.6	0.19
安布克劳(Ambuklao)	心墙	129	0.78	紫云山	均质	22.2	0.09
英菲尔尼罗(Infiernillo)	心墙	148	0.25	江口	均质	33	0.1
园岗(Round Butte)	心墙(近斜心墙)	134	0.12	白沙	均质	47.3	1.35
海蒂朱维特(Hgttejuvet)	心墙	90	0.19	薄山	心墙	40.75	0.48
郭兴能(Goscheneralp)	心墙	155	0.21	昭平台	心墙	34	0.22
吐马(Tooma)	心墙	68	0.08	陆浑	斜墙	52	0.09
卡加开(Kajakai)	心墙	100	0.05	彰武	均质(下部水中填土)	26	0.44
盖帕契(Gepatch)	心墙	153	0.92	毛家村	心墙	80.5	0.52

续表 6-4

坝　名	坝　型	坝高 (m)	竣工后沉降量占坝高百分比 (%)	坝　名	坝　型	坝高 (m)	竣工后沉降量占坝高百分比 (%)
切卡米斯(Cheakamus)	心墙(近均质坝)	27	0.15	白莲河	心墙	69	0.7
南原	心墙	86	0.16	横山	心墙	48.6	0.55
濑户	心墙	111	0.22	山美	心墙	74	0.08
御母衣	斜心墙	131	0.46	唐村	厚心墙	23	0.35
熊溪(Bear Creek)	斜心墙	72	0.44	岐山	厚心墙	30	0.9
狼溪(Wolf Creek)	斜心墙	56	0.35	碧口	心墙	101	0.16
东福克(East Fork)	斜心墙	41	0.45	官厅	厚心墙	45	0.44
蔡罗维(Chilowee)	斜心墙	23	0.32	高州水库石骨坝	均质	51.5	0.52
塞达崖(Ceder Cliff)	斜心墙	50	0.64	冯家山	均质	73	0.29
肯尼(Kenny)	斜心墙	104	0.60	丹江口副坝	心墙	56	0.11
刘易斯史密斯(Lewis Smith)	斜心墙	94	0.12	澄碧河	心墙	70.4	0.68
勃朗利(Brownlee)	斜心墙	120	0.26	南山	心墙	70	0.42

坏及其范围。

$$S = \frac{\sigma_1 - \sigma_3}{(\sigma_1 - \sigma_3)_f} \tag{6-43}$$

式中,$(\sigma_1 - \sigma_3)_f = \dfrac{2(C\cos\phi + \sigma_3\sin\phi)}{1 - \sin\phi}$ 为破坏偏应力(摩尔破坏圆的直径);ϕ,C 分别为土的内摩擦角和粘聚力,由抗剪强度试验得出。

(2)根据应力分布,查明是否产生拉应力,如产生,且超过土体抗拉强度,表明土体将产生裂缝,进而了解其开展范围。

(3)按应力分布,了解分区坝刚度不同的坝体材料之间(如石渣坝壳与土心墙间)是否产生拱效应,致使刚度小的材料(如土心墙)有部分自重传给刚度较大的材料,降低竖向应力,产生低压力区,蓄水后导致水力劈裂,使心墙开裂漏水。

(4)坝体是否产生过量变形,影响使用功能。

(5)根据应力分布分析坝坡稳定性。

长期以来由于对土体的本构关系认识不足,以及计算上存在的困难,对土石坝应力应变分析停留在线性弹性假定阶段:分析应力采取由单位面积上土重表示的垂直法向应力 σ_z,或采用楔形体弹性理论公式计算由坝体自重在坝基中产生的垂向应力;以单向固结仪测定的变形模量为依据,通过分层总和法计算坝体及坝基沉降。

实际上土体并非线性弹性体,其应力应变具有明显的非线性特性,属于非线性弹性体。目前,已广泛应用邓肯(Duncan)等人提出的土体非线性弹性模型,以表达应力应变关系,利用电子计算机,通过有限单元法进行土体的应力应变计算。当然,由于土体本构关系的复杂性,非线性弹性模型本身以及一些参数的确定还难以期望完全符合客观实际,使有限单元法计算应力应变的可靠性受到限制,有待深化。固然在判断坝体是否产生裂缝、有无拱效应导致水力劈裂、有没有剪切破坏区及其延伸范围等方面能起不可替代的独特作用，但还不能完全代替诸如边坡稳定分析、分层总和法计算坝体沉降等传统办法。

二、非线性弹性模型

线性弹性模型指应力和应变成直线关系，而且呈正比，卸荷后变形完全恢复。实际上土体不仅应力和应变不是线性关系，而且卸荷后变形不能完全恢复，还有残余变形，即塑性变形。因此，土体以采用弹塑性应力应变模型更接近实际，但由于这种模型目前还处在研究阶段，还不成熟，故当前工程实践采用非线性弹性模型，即假设变形为弹性，但弹性参数如弹性模量 E、泊桑比 μ（或体积模量 K）等都随应力而变，不是定值，即应力应变关系不是直线。

用有限单元法计算土的应力应变时需要土的非线性参数。邓肯等人建议用常规三轴试验，确定土的非线性参数，称为邓肯模型参数。较早时参数中包括泊桑比 μ，称为 $E-\mu$ 模型；后来邓肯等人提出用体积模量 K 代替泊桑比 μ，称为 $E-K$ 模型，认为以 K 表达土的体积变化特性，可较合理地表达土体在较高应力水平下的力学性质。以下阐述用三轴试验来确定邓肯模型参数，其中有效围压 σ_3 保持不变的排水试验，所得参数用于有效应力分析，总的围压 σ_3' 保持不变的不排水试验所得参数用于总应力分析。

（一）初始模量 E_i 及偏应力极限 $(\sigma_1 - \sigma_3)_{ult}$

对土样进行三轴压缩试验，固定 σ_3，偏应力 $(\sigma_1 - \sigma_3)$ 与轴向应变 ε_a 为双曲线关系，如式(6-44)。其中 σ_3 为围压(或侧限压力)，σ_1 为轴向压力。

$$(\sigma_1 - \sigma_3) = \cfrac{\varepsilon_a}{\cfrac{1}{E_i} + \cfrac{\varepsilon_a}{(\sigma_1 - \sigma_3)_{ult}}} \qquad (6\text{-}44)$$

可绘关系曲线如图6-34(a)所示。将式(6-44)改写成式(6-45),可绘关系曲线如图6-34(b)所示。

$$\frac{\varepsilon_a}{(\sigma_1 - \sigma_3)} = \frac{1}{E_i} + \frac{1}{(\sigma_1 - \sigma_3)_{\mathrm{ult}}} \cdot \varepsilon_a \qquad (6\text{-}45)$$

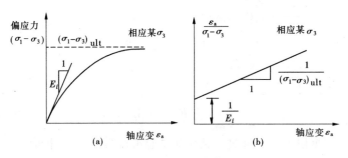

图6-34 应力应变的双曲线关系

固定一个 σ_3,施加不同 $\sigma_1 - \sigma_3$,相应得不同 ε_a,绘得图6-34(b)求得初始模量 E_i 及偏应力极限$(\sigma_1 - \sigma_3)_{\mathrm{ult}}$。不同 σ_3 有不同 E_i 及$(\sigma_1 - \sigma_3)_{\mathrm{ult}}$。

(二)破坏偏应力$(\sigma_1 - \sigma_3)_{\mathrm{f}}$及破坏比 R_{f}

根据剪切试验求得内摩擦 ϕ 及粘聚力 C,可按式(6-46)求破坏偏应力$(\sigma_1 - \sigma_3)_{\mathrm{f}}$及破坏比 R_{f}。式中偏应力极限$(\sigma_1 - \sigma_3)_{\mathrm{ult}}$求法同上。

$$\left.\begin{aligned}(\sigma_1 - \sigma_3)_{\mathrm{f}} &= \frac{2(C\cos\phi + \sigma_3\sin\phi)}{1 - \sin\phi}\\[2mm]R_{\mathrm{f}} &= \frac{(\sigma_1 - \sigma_3)_{\mathrm{f}}}{(\sigma_1 - \sigma_3)_{\mathrm{ult}}}\end{aligned}\right\} \qquad (6\text{-}46)$$

R_{f} 值对于粘土为 $0.7 \sim 0.9$,砂为 $0.6 \sim 0.85$,砂卵石为 $0.65 \sim 0.85$。

(三)初始模量基数 K_a 及指数 n_a

詹布(Janbu)通过试验研究指出,凝聚性或无凝聚性土的初始

模量 E_i 都是侧限压力 σ_3 的幂函数，如式(6-47)所示。

$$E_i = K_a P_a (\frac{\sigma_3}{P_a})^{n_a} \qquad (6-47)$$

式中　K_a——初始模量基数；

　　　n_a——初始模量指数；

　　　P_a——大气压力，单位与 E_i、σ_3 同。

其余符号意义同前。

由此可得：

$$\lg \frac{E_i}{P_a} = \lg K_a + n_a \lg(\frac{\sigma_3}{P_a}) \qquad (6-48)$$

根据以上(一)通过三轴压缩试验可得与不同 σ_3 相应的不同 E_i，绘制 $\lg \frac{E_i}{P_a}$ 与 $\lg \frac{\sigma_3}{P_a}$ 直线关系如图 6-35，参照式(6-48)，其截距即 K_a，斜率为 n_a。

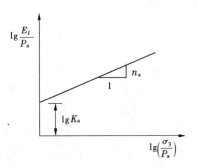

图 6-35　E_i 与 σ_3 关系

(四)切线模量 E_t

在侧限压力 σ_3 为某一定值的应力与应变 $(\sigma_1 - \sigma_3) \sim \varepsilon_a$ 关系曲线(图 6-34(a))上，任一点的切线模量 E_t 等于式(6-44)对 ε_a 求导数，即 $E_t = \frac{\partial(\sigma_1 - \sigma_3)}{\partial \varepsilon_a}$；经数学运算后再以 $R_f = \frac{(\sigma_1 - \sigma_3)_f}{(\sigma_1 - \sigma_3)_{ult}}$ 代入

得：

$$E_t = E_i \left[1 - \frac{(\sigma_1 - \sigma_3)R_f}{(\sigma_1 - \sigma_3)_f} \right]^2 \qquad (6\text{-}49)$$

将式(6-46)中$(\sigma_1 - \sigma_3)_f$及式(6-47)中E_i代入式(6-49)得：

$$E_t = K_a P_a \left(\frac{\sigma_3}{P_a} \right)^{n_a} \left[1 - \frac{(\sigma_1 - \sigma_3)(1 - \sin\phi)R_f}{2C\cos\phi + 2\sigma_3\sin\phi} \right] \quad (6\text{-}50)$$

（五）卸荷再加荷的模量 E_{ur}

在卸荷与再加荷情况下，应力与应变接近直线关系，见图6-36。弹性模量E_{ur}仅取决于围压σ_3，而与$(\sigma_1 - \sigma_3)$无关，每固定一个σ_3，可得一个E_{ur}，两者关系亦可表示如式(6-51)：

$$E_{ur} = K_{ur} P_a \left(\frac{\sigma_3}{P_a} \right)^n$$
$$(6\text{-}51)$$

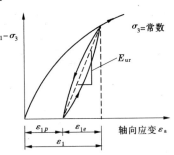

图 6-36　卸荷再加荷曲线

式中，K_{ur}及n分别为再加荷模量基数及指数；P_a为大气压力。式(6-51)表示形式与式(6-47)一样，K_{ur}及n的确定方法也与前文所述相同，一般n与n_a接近，而K_{ur}与K_a不同。

（六）泊桑比 μ

泊桑比μ也可根据三轴压缩试验求得。邓肯与库哈维(Kulhawy)等人认为，三轴试验轴向应变ε_a与侧向应变ε_r之间也是双曲线关系，如式(6-52)及图6-37(a)所示。如将图6-37(a)的纵轴改为$\dfrac{\varepsilon_r}{\varepsilon_a}$，则双曲线变为直线，如图6-37(b)所示，其截距即μ_i，斜率即D(每对应一个σ_3)。

$$\varepsilon_a = \frac{\varepsilon_r}{\mu_i + D\varepsilon_r} \qquad (6\text{-}52)$$

式中　μ_i——初始泊桑比；

　　　D——泊桑比系数(无因次)。

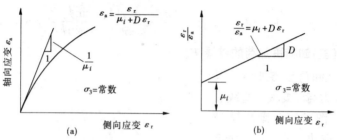

图 6-37　轴向应变 ε_a 与侧向应变 ε_r 双曲线关系

起始泊桑比 μ_i 被认为是侧限压力 σ_3 的对数函数,如式 (6-53):

$$\mu_i = G - F\lg(\frac{\sigma_3}{P_a}) \qquad (6\text{-}53)$$

式中 G,F 分别为泊桑比基数及系数,P_a 为大气压力。由以上图 6-37(b),根据不同的 σ_3 得相应不同的 μ_i 绘其关系如图 6-38。根据式(6-53)可由图 6-38 求出 G、F。

在图 6-37(a)$\varepsilon_a \sim \varepsilon_r$ 双曲线上任一点的泊桑比 $\mu_t = \dfrac{\partial \varepsilon_r}{\partial \varepsilon_a}$,经过运算得式(6-54):

$$\left. \begin{aligned} \mu_t &= \frac{G - F\lg(\frac{\sigma_3}{P_a})}{(1-A)^2} \\ A &= \frac{(\sigma_1 - \sigma_3)D}{K_a P_a (\frac{\sigma_3}{P_a})^{n_a}\left[1 - \dfrac{R_f(1-\sin\phi)(\sigma_1-\sigma_3)}{2C\cos\phi + 2\sigma_3\sin\phi}\right]} \end{aligned} \right\} \qquad (6\text{-}54)$$

(七)体积模量

邓肯等人于 1980 年提出用体积模量 K 代替原邓肯模型中泊桑比 μ，即将弹性参数 $E \sim \mu$ 模型改为 $E \sim K$ 模型，认为以 K 表征土的体积变化特性，可较合理表达土体在较高应力水平 S 下的力学性质。

对于常规三轴压缩试验，在围压 σ_3 不变的情况下，轴向压力增量为 $\sigma_1 - \sigma_3$，在三个方向压力中仅轴向压力增量一项，其他两个方向压力增量均为零，所以平均压力增量 $\sigma_0 = \dfrac{\sigma_1 - \sigma_3}{3}$。体积压缩模量 K 为平均压力增量与相应的体积应变 ε_v 之比，$K = \dfrac{\sigma_0}{\varepsilon_v} = \dfrac{\sigma_1 - \sigma_3}{3\varepsilon_v}$。固定一个 σ_3，每施加一个 $\sigma_1 - \sigma_3$，测得相应 ε_v，绘得两者关系如图 6-39，由于 ε_v 部分是由于正应力变化导致剪应力变化而产生，故每固定一个 σ_3，为求 ε_v 与 K 所对应的 $\sigma_1 - \sigma_3$ 不是随便定的，应遵循以下规定：①如应力水平 $S = \dfrac{\sigma_1 - \sigma_3}{(\sigma_1 - \sigma_3)_f}$ 已达 0.7，而图 6-39 上体应变曲线未趋水平，则取 $S = 0.7$ 的 $\sigma_1 - \sigma_3$ 及相应 ε_v，并求得 K；②如 S 未达 0.7 而体积应变曲线已趋水平，则取与开始趋水平的点相对应的 $\sigma_1 - \sigma_3$ 及相应 ε_v 和 K。按照以上规则，一个 σ_3 可以得到一个 K。

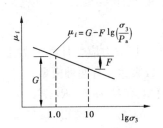

图 6-38 初始泊桑比 μ_i 与侧限压力 σ_3 的关系

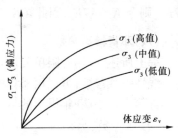

图 6-39 偏应力 $(\sigma_1 - \sigma_3)$ 与 体积应变 ε_v 关系

随围压 σ_3 而变的体积模量 K 也可表达成 σ_3 的幂函数,如式(6-55):

$$K = K_b P_a (\frac{\sigma_3}{P_a})^{n_b} \qquad (6\text{-}55)$$

或
$$\lg(\frac{K}{P_a}) = \lg K_b + n_b \cdot \lg(\frac{\sigma_3}{P_a}) \qquad (6\text{-}56)$$

式中,P_a 为大气压力,K_b 及 n_b 分别为体积模量基数及指数。

上已述及,对任一 σ_3,可得对应的 K,按式(6-56)绘得 K 与 σ_3 关系曲线如图 6-40,由此求得 K_b 及 n_b。

在用有限元计算的过程中,为限制切线泊桑比 μ_t 为正值,用式(6-55)计算得到的 K 如小于 $\frac{E_t}{3}$ (E_t 为切线模量),则

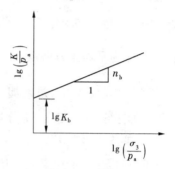

图 6-40　体积模量 K
与围压 σ_3 关系

令 $K = E_t/3$;同样为限制 $\mu_t \leqslant 0.49$,用式(6-55)算得的 K 大于 $17E_t$,则令 $K = 17E_t$,因此在用 $E - K$ 模型时,$\frac{E_t}{3} \leqslant K \leqslant 17E_t$。

(八)邓肯模型参数

综上所述,采用有限单元法进行土石坝应力应变计算所需土的非线性弹性参数,可以用邓肯模型参数表达。有两种模型,一种是邓肯等人在 1970 年提出的 $E - \mu$ 模型,包括 φ、C、R_f、K_a、n_a、G、F、D 等参数,另一种是 1980 年提出的 $E - K$ 模型,包括 φ、C、R_f、K_a、n_a、K_b、n_b、K_{ur} 等参数,其中代表符号的意义以及通过常规三轴压缩试验取得各参数的办法,均已在本节作了介绍。目

前工程实践多采用邓肯 $E-K$ 模型参数。

三、有限单元法分析土石坝应力应变

目前采用土的非线性弹性本构关系,测定邓肯等关于双曲线的应力应变模型参数,通过电子计算机用有限单元法分析土石坝的应力应变,解决诸如坝体大小主应力、竖向及水平向位移、应力水平等分布情况,已被广泛用于土石坝工程,许多科研部门及大专院校都掌握有程序,将划分的单元、非线性弹性参数、边界条件、自重及其他荷载等输入电子计算机,便可迅速求出上述有关土石坝应力应变的各种解答。工程设计单位多半是提出具体要求及基本资料,委托上述部门进行。因此,本节不再对有限单元法进行详细阐述,仅简介基本概念及步骤等,供设计参阅,并介绍前述规划院3号文有关应力应变的两个程序:①原水电部西北院应力应变程序,编制者郭俊停;②南科院应力应变程序,编制者沈珠江。这两个程序都采用有限元计算原理,都使用四边形四节点等参数单元,用分层加荷模拟土石坝填筑过程,都采用邓肯等关于双曲线的应力应变模型,在非线性问题处理上采用中点切线模量法。

(一)基本概念及原理

有限单元就是把坝体和坝基等连续体分解为有限数目的单元体,相互间以结点铰接,形成离散结构,以代替原连续体,用以分析应力应变。结构进行离散化后,结点和单元总数等控制参数,单元和结点间的对应关系,由结点坐标、厚度等规定的单元的几何性质,单元的材料性质参数,边界点约束条件以及荷载情况的处理就都确定了。凡是作用在单元上的荷载都移置作用在结点上,成为结点荷载。根据虎克定律,每单元的应力 σ 与应变 ε 的关系可用式(6-57)表示。式中,$[D]$ 为弹性矩阵,对于平面应变问题,$[D]$的计算式见式(6-58):

$$\{\sigma\} = [D]\{\varepsilon\} \tag{6-57}$$

$$[D] = \frac{E(1-\mu)}{(1+\mu)(1-2\mu)} \begin{bmatrix} 1 & \dfrac{\mu}{1-\mu} & 0 \\ \dfrac{\mu}{1-\mu} & 1 & 0 \\ 0 & 0 & \dfrac{1-2\mu}{2(1-\mu)} \end{bmatrix}$$

(6-58)

式中,E、μ 分别为弹性模量及泊桑比,$[D]$对于线弹性模型为常数,非线性弹性模型为应力或应变函数。

根据假设的单元位移模式,建立单元的各种性质称为单元分析。对于平面应变问题,通常假定三角形常应变单元的位移$\{\delta\}^e$是坐标的线性函数,四边形等参数(线性应变)单元的位移是坐标的二次函数,依此位移模式,即可确定各单元应变与位移关系如式(6-59):

$$\{\varepsilon\} = [B]\{\delta\}^e \tag{6-59}$$

式中,$\{\varepsilon\}$及$\{\delta\}^e$分别为单元的应变及位移,$[B]$为应变矩阵,只与单元的面积及各结点的坐标有关。

根据力的平衡条件知所有结点上的各结点荷载$\{R\}$与铰接各单元形成结点力$\{F\}^e$的关系如式(6-60):

$$\sum\{R\} = \sum\{F\}^e \tag{6-60}$$

根据虚功原理得结点力与结点位移关系如式(6-61),代入式(6-60)得结点荷载与结点位移关系如式(6-62),式中$[K]$为劲度矩阵。

$$\{F\}^e = [K]\{\delta\}^e \tag{6-61}$$

$$\sum\{R\} = \sum[K]\{\delta\}^e \tag{6-62}$$

解方程组式(6-62)可得位移场,进而由式(6-59)及式(6-57)分别求出单元的应变和应力分布。这就是有限单元法的基本思路,它实际上是微分方程的一种数值解法。

(二)非线性分析

有限单元法可用于土石坝非线性分析。非线性问题主要有两种：一是材料特性引起的非线性，叫材料非线性；另一是结构大变形所引起的非线性称为几何大变形。在土工结构上，以上两种非线性都存在，但影响大的是材料非线性，只介绍材料非线性的分析方法。

材料非线性就是材料的应力～应变关系不呈直线，在单轴拉压试验中，轴向力 σ 与轴向应变 ε_a 不是直线关系，如图 6-41。或在三轴试验中，偏压力 $\sigma_1 - \sigma_3$ 与轴向应变 ε_a，以及 ε_a 与侧向膨胀应变 ε_r 都不是直线关系，分别见图 6-34(a) 及图 6-37(a)。这种非线性关系反映到式(6-57)上，就是弹性劲度 $[D]$ 不是常量而随应力或应变而变；劲度矩阵 $[K]$ 也随应力或应变而变，即式(6-62)成为式(6-63)：

$$\sum\{R\} = \sum[K(\delta)] \cdot \{\delta\}^e \qquad (6\text{-}63)$$

结点荷载 R 与结点位移 δ 间成非线性关系，如图 6-42 所示。

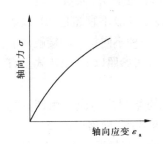

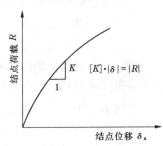

图 6-41　轴向力 σ 与轴向
应变 ε 的关系

图 6-42　结点荷载 R 与
结点位移 δ 的关系

从数学上严格求解式(6-63)十分困难，只能采用近似解答，以直线逼近曲线。近似解法有增量法、迭代法、初应力法和初应变法等。以增量法为例，将总荷载分为若干级荷载增量，在每级荷载增量下都假定材料是线弹性,解得结点和单元应力和应变增量,累加起来就是全荷载作用下总的位移、应力和应变。这种方法实质上是以分段的直线来逼近曲线,当荷载划分较小时,能得到接近真实的解。有关增量法及上述其他方法可参阅:①水利水电规划设计总院组编的《碾压式土石坝设计手册》(下册)322～325页。②原华东水利学院土力学教研室主编的《土工原理与计算》(上册)第288～295页。

(三)计算步骤简介

(1)取有代表性土样,进行三轴压缩试验,取得如上所述为应力应变计算所需的邓肯模型参数,求得弹性模量、泊桑比等各种弹性参数。

(2)根据地形地质情况,划分单元。由于三角形常应变单元应力精度不高,影响通过应力计算的如弹性矩阵$[D]$等弹性参数,而且误差是累积的,因此目前多趋于采用四边形等参数单元。由于土石坝是分层填筑,在采用增量法进行有限元计算时,土体单元应模拟施工实际过程,分层加入自重荷载,逐层计算,层数一般少于6～8层。单元布置应尽可能均匀,底高比一般不宜超过10,以防结构线性方程病态。在刚度相差悬殊的两种不同材料的接触面上(如土和混凝土)宜设接触面单元,具体做法参照以上《碾压式土石坝设计手册》(下册)第329～332页。

单元网格大小无明确规定,要求结点数目应适应所用计算机容量与程序性能,在重点研究区或应力集中区,网格可细些。

划分单元的边界范围,对于岩基上或岩基埋藏不深的土石坝,可将基岩视为刚性体,以基岩面作为刚性边界。如基岩面埋藏甚深,则必须确定不致受到坝体填方影响的有限边界作为单元范围。

(3)按照上述"非线性分析"方法,来求得结点荷载$\{R\}$与结点位移$\{\delta\}$之间非线性关系曲线,或求得随δ而变的劲度矩阵$[K(\delta)]$。

(4)将结构所受荷载(自重、外力等)分解成结点荷载$\{R\}$,再由劲度矩阵$[K(\delta)]$代入$\{R\}=[K(\delta)]\cdot\{\delta\}^e$得结点位移$\{\delta\}^e$。

(5)由应变矩阵$[B]$及弹性矩阵$[D]$,按应变$\{\varepsilon\}=[B]\cdot\{\delta\}^e$,及应力$\{\sigma\}=[D]\cdot\{\varepsilon\}$,求得各单元应力应变。

具体计算通过计算机进行,利用现有程序,输入单元划分、荷载分布、邓肯模型参数等,即给出大小主应力、应力水平、竖向及水平向位移等分布等值线图,供设计使用。

第七章　抗震设计

第一节　概　况

　　世界拦河坝中以土石坝数量最多,许多建在地震区,甚至不少是8~9度以上的强震区(表7-1),而且有些还经受过强震考验(表7-2)。据不完全统计,我国修建的坝高超过15m的土石坝达15 000多座。由于国土辽阔,地震频繁,在20世纪发生过辽宁海城,河北邢台、唐山,大同阳高,云南通海等大地震,都对一些土石坝造成不同程度的震害,例如:裂缝、塌陷、滑坡等,其中以裂缝最为常见。因此,土石坝抗震设计是土石坝设计中的一个重要内容。

　　由于土石坝是用当地材料修成,具有较大柔性,能适应地震变形,有较高的抗震能力,根据土石坝承受地震的实况表明,没有一座土石坝因地震而导致垮坝。震害一般表现为在坝体本身或与混凝土建筑物连接处开裂,坝顶下沉,或者浅层坍滑,震后经过修补,都能恢复正常使用,仅有极少数土石坝由于设计施工不正规,坝体碾压不密实,尤其是如果坝基有均匀松散粉细砂,未作处理,地震时引起液化,则会导致较大滑坡,震害比较严重。但应指出,只要搞好抗震设计,在坝坡稳定分析中充分考虑地震力的不利影响,采取合适的抗震措施,是能够保证在地震区安全修建土石坝的。

　　国外已有许多坝高超过100m的土石坝修在强震区,其相关资料见表7-1,其中地震强度等于或超过9度的有17座,库容超过100亿m^3的有6座,坝高超过200m的达7座,这些坝都已成功建成,运行良好,它们所采用的各种抗震措施可以借鉴。国外承受较

表 7-1

国外建在强震区高 100m 以上的土石坝

坝名	国家	坝高 H(m)	坝顶长 L(m)	坝顶宽 B(m)	库容 (亿 m³)	坝型	坝基覆盖 材料	坝基覆盖 厚度(m)	坝址区地震烈度 (度)	防渗体 型式或材料	防渗体 最大厚 T(m)	防渗体 T/H	坝坡率(1:) 上游	坝坡率(1:) 防渗体	坝坡率(1:) 下游	筑坝年份	坝址地震活动及抗震措施
努列克 Nurek	苏	300	700	20	105	心墙土石坝	—	20	9	黄土类轻壤土	60	0.20	2.25	0.25	2.2	1963~1980	①筑坝前发生 8~9 度地震;②坝顶部位呢加筋;③心墙干容重 $r_d = 22.3$kN/m³,双层反滤,坝底设混凝土垫块
罗贡 Rogun	苏	325	602	20	130	斜心墙土石坝	—	—	9	—	—	—	2.4	0.9 0.4	2.0	未完成	①坝顶设计地震加速度 $a = 0.35g$;②提高密实度
奇科森 Chicasen	墨	263	—	—	16.6	心墙堆石坝	砂卵石	40	9	—	—	—	2.1	—	2.0	1980	坝址附近有大断层,地震时可能错动,故放弃拱坝方案改用堆石坝
凯明 Keban	土耳其	207	608	11	306	心墙堆石坝	—	50	8~9	粘土	70	0.34	1.85	0.167	1.75	1966~1974	①坝基设深 30~60m 帷幕;②同时考虑水平及竖向地震作用

续表 7-1

坝名	国家	坝高 H(m)	坝顶长 L(m)	坝顶宽 B(m)	库容 (亿 m³)	坝型	坝基覆盖 材料	坝基覆盖 厚度 (m)	坝址区地震烈度 (度)	防渗体 型式或材料	防渗体 最大厚 T(m)	防渗体 T/H	坝坡率 (1:) 上游	坝坡率 (1:) 防渗体	坝坡率 (1:) 下游	筑坝年份	坝址地震活动及抗震措施
达特毛斯	澳	180	792	12.2	—	心墙土石坝	—	10~15	9	—	—	—	1.7	—	1.7	1978	—
高濑 Takase	日	176	362	14	0.76	心墙堆石坝	砂卵石	20	9	砾质粘性土	100	0.56	2.6	0.3 0.2	1.5	1979	①设过渡层及反滤层;②填料密实度 21.4 kN/m³
卡霍夫卡	苏	168	—	—	—	心墙堆石坝	砂卵石	10	9	—	—	—	1.8	—	1.8	1970	—
特里尼提 Trinty	美	164	793	12.2	30.2	厚心墙堆石坝	—	10~15	8~9	填土	260	1.59	2.5 4.0	1 0.7	2.0 2.5	1965	—
恰尔克 Charvak	苏	167	838	15	14.7	心墙堆石坝	冲积层	10	9	黄土类坡土	156	0.93	1.25 2.0	0.25	1.25 2.0	1966~1970	①心墙双层反滤;②心墙下面设混凝土座垫;③深 60~80m 坝基帷幕灌浆
曼格拉 Mangal	巴	128	3 353	12.5	65.5	斜心墙堆石坝	—	18	8~9	—	—	—	—	—	—	1967	—

续表 7-1

坝名	国家	坝高 H(m)	坝顶长 L(m)	坝顶宽 B(m)	库容 (亿m³)	坝型	坝基覆盖 材料	坝基覆盖 厚度(m)	坝址区地震烈度(度)	防渗体 型式或材料	防渗体 最大厚 T(m)	防渗体 T/H	坝坡率(1:) 上游	坝坡率(1:) 防渗体	坝坡率(1:) 下游	筑坝年份	坝址地震活动及抗震措施
内札华柯尤特 Netzahualcoyote	墨	138	480	10	129	心墙堆石坝	砂卵石	30	9~10	碎风化粉砂壤土	45	0.33	2	0.2	2	1963~1964	①有5个活动震源,最近为40km;②厚心墙防渗($i_{允许}$=2),含水量 $\omega = \omega_{op} + 6\%$;$\omega_{op}$为最优含水量
安布克劳 Ambuklao	菲	130	606	15	3.27	心墙堆石坝	—	10	11~12	—	—	—	2.0 1.75	0.25	1.75 2.0	1955	—
长野 Nagano	日	128	368	12	3.5	斜心墙堆石坝	—	<10	8~9	坡积风化土	28	0.22	2.6~3	1 0.65	1.8	1965~1967	①坝基灌浆帷幕深 30.6m;②用缓坝坡
七仓	日	125	340	12	2.56	心墙堆石坝	砂卵石	15	9	—	—	—	2.7	0.25 0.2	2.7	1982	—
御母衣 Miboro	日	131	—	—	—	斜墙堆石坝	—	8	8~9	—	—	—	—	—	—	1957~1960	—
九头龙 Kuzuryu	日	128	—	—	—	斜心墙堆石坝	—	<10	8~9	—	—	—	—	—	—	1968	—

· 217 ·

续表 7-1

坝名	国家	坝高 H(m)	坝顶长 L(m)	坝顶宽 B(m)	库容 (亿m³)	坝型	坝基覆盖 材料	坝基覆盖 厚度(m)	坝址区地震烈度(度)	防渗体 型式或材料	防渗体 最大厚 T(m)	防渗体 T/H	坝坡率(1:) 上游	坝坡率(1:) 防渗体	坝坡率(1:) 下游	筑坝年份	坝址地震活动及抗震措施
特里 Tehri	印度	261	—	—	—	斜心墙土石坝	—	15	8	—	—	—	—	—	—	—	—
艾瓦西克 Ayvacik	土耳其	175	—	—	—	心墙堆石坝	—	40	8	—	—	—	—	—	—	1972~1979	—
金字塔 Pyramid	美	120	332	10.7	2.2	心墙堆石坝	挖除	0	10	页岩风化土	48	0.41	2.5	0.225 0.25	2.0	1972~1973	①坝址为活动断裂区;②增加坝高
圣·开尔利尔 San Cabriell	美	113	510	12.2	0.8	斜墙堆石坝	—	15	8~9	砂质壤土	46	0.41	3	1.5 1.3	3	—	—
盖伯梯特 Gepatsch	奥	153	630	10	1.4	心墙堆石坝	砂卵石	25	9	掺砂卵石50%粘土	42	0.27	1.5 1.5	0.125	1.5 1.5 1.5	1961~1964	放缓坝坡,心墙干密度 r_d=2.1t/m³
木莱儿	新西兰	110	820	10.5	20.1	心墙堆石坝	泥板岩	21	9~10	掺卵石粘土	55	0.5	2.5~3.5	0.75 0.25	2~2.25	1960~1964	心墙 r_d=2.15~2.32t/m³

坝名	国家	坝高 H(m)	坝顶长 L(m)	坝顶宽 B(m)	库容(亿m³)	坝型	坝基覆盖		坝址区地震烈度(度)	防渗体			坝坡率(1:)			筑坝年份	坝址地震活动及抗震措施
							材料	厚度(m)		型式或材料	最大厚 T(m)	T/H	上游	防渗体	下游		
牧尾 Makio	日	106	264	10	0.75	心墙堆石坝	—	23	10~11	粉砂砾石轻壤土	27	0.25	2~3	0.1	2~3	1957~1961	①烈度系数用百年基准期 0.15g,用拟静力法计算;②心墙按 20cm 薄层碾压
山溪 Hill creek	美	105.5	661	9	4.39	斜心墙堆石坝	—	8~10	11~12	—	48	0.45	2.25 2.5	0.33 0.17	2.25	1956~1961	用 500kN 汽胎碾整制压实
肯尼 Kenney	加	100	457	12	220	斜墙堆石坝	—	—	8~9	漂石粘土	15	0.15	2.5	1.5 1.37	1.4~1.15	1951~1952	坝基灌浆深 37~53m
塔贝拉 Tarbela	巴	143	2 736	19	6.07	斜墙堆石坝	壤土、砂砾、细砂	60~120	8	掺砾卵石的砂壤土	9.2	0.64	1.8 2.65	—	1.7 2.0	1970~1975	①估计画中距为 8km;②防渗铺盖长 2km
普勃洛维约	危地马拉	130	240	12	4.6	心墙堆石坝	冲积层部分胶结	—	8级+	粉质壤土	42.5	0.33	2	0.6 0.3	1.75	1983	距震中 CCP 断裂 5km,1976 年地震中距坝址 40km(Mogagra 断层),按地面 $a = 0.8g$,分析最大可 60s,历时信地震,曾按 8 级地震作过动力分析

续表 7-1

坝名	国家	坝高 H(m)	坝顶长 L(m)	坝顶宽 B(m)	库容 (亿m³)	坝型	坝基覆盖		坝址区地震烈度(度)	防渗体			坝坡率(1:)			筑坝年份	坝址地震活动及抗震措施
							材料	厚度 (m)		型式或材料	最大厚 T(m)	T/H	上游	防渗体	下游		
安哥斯托拉 La Angostura	墨西哥	145	300	10	180	心墙堆石坝	—	—	按0.2g设计	粘土	—	—	—	—	—	1972~1975	—
英菲尔尼罗 El Infernillo	墨西哥	148	—	—	—	心墙堆石坝	—	8	9~10	—	—	—	—	—	—	1962	—
拉姆刚加 Ramganga	印度	126	—	—	—	斜心墙堆石坝	—	8~16	8	—	—	—	—	—	—	1963	—
麦捷奥 Megeo	苏联	144	—	—	—	土石坝	—	—	10	—	—	—	—	—	—	1964~1975	—
维特拉	罗马尼亚	121	—	—	—	心墙堆石坝	—	5~10	8	—	—	—	—	—	—	1966~1971	—
渥洛维尔 Oroville	美国	236	1 701	24.5	42.9	斜心墙堆石坝	砂砾	18	8~9	掺砂砾粘土	—	—	—	—	—	1965~1967	—
卡斯坦克 castaic	美国	104	1 585	12	4.32	心墙堆石坝	—	24	—	粘土	—	—	—	—	—	1970	实际运行发生过水平加速度为0.39g地震

强和强震考验的 100m 以上高土石坝的实际情况见表 7-2。

第二节　地震加速度

一、水平向地震加速度 a_h

除要求进行专门的地震危险性分析来确定外，一般可根据基本烈度，按表 7-3 确定水平地震加速度 a_h。

表 7-3 　　　　　　　水平地震加速度 a_h

基本烈度	7	8	9
a_h	0.1g	0.2g	0.3g

注　$g = 9.81 \text{m/s}^2$

二、竖向地震加速度 a_v

a_v 一般可取水平向地震加速度 a_h 的 2/3。

三、关于基本烈度的转轨

以往设计土石坝抗震都是根据《中国地震烈度区划图(1990)》，或委托专门地震部门论证，确定坝址区基本烈度，现行水工建筑物抗震设计规范便据此作出各种有关规定供设计人员遵循，如：根据建筑物重要性对基本烈度的提高级别、地震力的确定、坝体动态分布系数 a_i(即动力放大系数)的确定等。2001 年 8 月国家质量监督局颁布《中国地震动参数区划图》(GB18306—2001)，作为国家标准，其相关内容属于强制性。其范围基本涵盖全国，根据坝址所在地，可直接查得地震动峰值加速度以及地震动反应谱特征周期。其基准期为 50 年，超越概率为 10%，场地条件为平坦稳定的一般(中硬)场地，以此代替经由基本烈度确定相应

表 7-2　国外经强震考验的 100m 以上高土石坝

坝名	国家	坝型	坝高(m)	修建时间(年)	实际发生的地震					震害情况及说明
					震级	震中距(km)	坝址烈度(度)	发震时间(年)		
卡斯坦克 Castaic	美国	心墙堆石坝	104	1970	8	32	水平 0.39g 垂直 0.18g	—		无震害
爱尔卡可勒 Elcaracol	墨西哥	心墙砂砾石坝	126	1985	8.1	—	0.09g	1985		大坝无重大震害
九头龙 Kuzuryu	日本	斜心墙堆石坝	128	1968	6.6	40	—	1969		大坝未受损坏,也未测出任何变形
岩屋 Iwaya	日本	心墙堆石坝	128	1973~1977	6.8	40	坝顶 0.21g 基岩 0.038g	1984		坝体无任何损害
御母衣 Miboro	日本	斜心墙堆石坝	131	1957~1960	7	10	7~8 (0.1g)	1961		坝顶沉陷 3cm,向下游水平位移 5cm,廊道有裂痕,不碍使用
英菲尔尼罗 El Infernillo	墨西哥	心墙堆石坝	148	1962~1963	8.1	68	7~8 (坝顶 0.45g)	1985		地震裂缝很多,坝顶震陷 13cm,水平位移 7.1cm,不影响使用
澳洛维尔 Oroville	美国	斜心墙堆石坝	236	1965~1967	5.7	11	坝基 0.1g	1975		无明显震害
安哥斯图拉 La Angostura	墨西哥	心墙堆石坝	145	1972~1975	—	—	—	—		遭受地震后,经检查没有发现任何额外沉陷、水平位移等情况

动参数。考虑到现有抗震规范都与基本烈度挂钩,存在一个修订转轨问题,这还需要一定时间,为了避免过渡期无章可循,因此上述"地震动参数区划图"规定,抗震设计验算直接采用该区划图提供的动参数,而其他方面可见表7-4。由地震动峰值加速度换成基本烈度,再遵照现行抗震规范的相应规定执行。

表 7-4　　　　地震动峰值加速度与地震基本烈度对照

地震动峰值加速度分区(g)	<0.05	0.05	0.1	0.15	0.2	0.3	≥0.4
地震基本烈度	<Ⅵ	Ⅵ	Ⅶ	Ⅶ	Ⅷ	Ⅷ	≥Ⅸ

第三节　坝坡抗震稳定

一、基本规定

土石坝应采用拟静力法进行抗震稳定计算,即将瞬时往返作用的动荷载变成静荷载,进行计算,但应考虑地震惯性力沿坝高不同分布的动力特性。抗剪强度一般仍可用静力作用下的指标。

抗震设计规范规定,对于设计烈度为8、9度的70m以上的土石坝,以及地基中存在可液化土时应同时用有限元法对坝体和坝基进行动力分析,综合判断其抗震安全性。为此,可委托有关科研部门或大专院校进行动力分析,提交成果。限于篇幅,本书只介绍拟静力法。

有关除地震力以外的各种静力作用下的坝坡稳定分析,已在第六章作了阐述。土石坝遭遇地震后,坝体稳定分析方法和公式都不变,仅在阻滑力和滑动力中考虑地震水平力和垂直惯性力的不利影响,求出最小抗滑安全系数。目前,实际计算也多利用程序通过电子计算机完成。

二、水平地震惯性力 F_h

作用在坝体某一单元上的水平地震惯性力 F_h 见式(7-1)：

$$F_h = W_i a_h \xi_i \alpha_i / g \tag{7-1}$$

式中　a_h——水平向地震加速度(g)；

ξ_i——地震作用的效应折减系数，一般采用 0.25(在拟静力法计算中之所以引进这个系数，是为了弥合与以往抗震设计实践的差异，过去抗震设计所采用的水平向地震加速度大约只相当表 7-3 所列数值的 1/4，并据此设计了大量建筑物，有些还经受了考验)；

α_i——坝体动态分布系数，由表 7-5 查得，这是由于考虑到地震加速度自坝基向上，沿坝高增加，至坝顶为最大而引入的放大系数；

W_i——坝体某一单元的实重(包括土骨架和孔隙中水重)。

表 7-5　　　　　　　**土石坝坝体动态分布系数** α_i

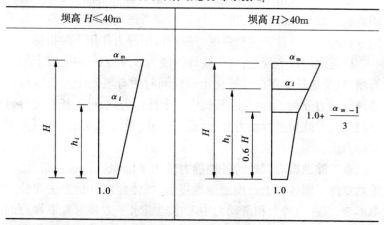

坝高 $H \leqslant 40\text{m}$	坝高 $H > 40\text{m}$

注　针对设计烈度为 7、8、9 度时，表中 α_m 分别采用 3.0、2.5、2.0。

三、垂直地震惯性力 F_v

上已述及垂直地震加速度 a_v 为水平地震加速度 a_h 的 2/3，但在进行坝坡抗震稳定计算时，如考虑水平向与竖向地震惯性力同时作用，应将竖向地震惯性力乘上 1/2 的适合系数，通过换算，得竖向地震惯性力 F_v 为水平向地震惯性力 F_h 的 1/3。

四、坝坡抗震稳定

(一)瑞典圆弧法

以稳定渗流情况为例，在第六章式(6-28)中考虑垂直及水平地震惯性力 F_h 和 F_v 的影响后得抗滑稳定安全系数 K 如式(7-2)：

$$K = \frac{\sum\{C'b\sec\beta + [(W_1 + W_2 \pm F_v)\cos\beta - (u - \gamma_w Z)b\sec\beta - F_h\sin\beta]\tan\phi'\}}{\sum[(W_1 + W_2 \pm F_v)\sin\beta + M_c/R]}$$

$$(7-2)$$

在式(7-2)中，F_h 以水平地震方向与滑弧滑动方向相反为最不利；竖向地震惯性力 F_v 向下为正，向上为负。F_h 及 F_v 都作用在每一土条的重心，在用式(7-1)求 F_h 时，式中 W_i 是指土条实重，即包括土骨架及孔隙中水重。式(7-2)中 M_c 为水平地震惯性力 F_h 对圆心的力矩，R 为滑弧半径，其他符号代表意义见式(6-28)。

(二)简化毕肖普法

在求稳定渗流情况下的抗滑安全系数 K 时，将 F_h 及 F_v 代入第六章式(6-31)得：

$$K = \frac{\sum\{C'b\sec\beta + [(W_1 + W_2 \pm F_v)\sec\beta - (u - \gamma_w Z)b\sec\beta]\tan\phi'\}}{\sum[(W_1 + W_2 \pm F_v)\sin\beta + M_c/R]}$$

$$\times \frac{1}{1 + \dfrac{\tan\phi'\tan\beta}{K}}$$

$$(7-3)$$

代表符号意义见式(6-31)及式(7-2)。

(三)滑楔法

将 F_h 及 F_v 作为外力进行图解分析。图解法详见第六章第二节。但求水平地震惯性力 F_h 的式(7-1)中 W_i 为各楔块的实重,作用在各楔块重心。

第四节　抗震措施

一、采取抗震措施的必要性

土石坝抗震除了考虑地震惯性力,进行坝坡稳定分析外,还应该采取各种抗震措施,最大限度减轻土石坝的震害,如裂缝、塌陷、浅层滑坡等。

二、抗震措施具体内容

(一)做好坝基处理

实践证明,不良坝基如均匀松散粉细砂,低干密度的饱和砂土以及软土等在地震作用下容易产生液化,降低甚至丧失抗剪强度,导致土石坝失稳,产生大滑坡,这是地震时土石坝失事的主要原因。在地震区建土石坝,首先应通过地质勘探,弄清坝基的工程地质条件。如存在以上不良地基,最好尽量避开,如实在无法避开,则应采取诸如换砂强夯,加压盖围封,振冲加固,设砂井、镇压台等措施进行处理,具体办法可参考第四章坝基处理。

(二)选择合适坝型

地震区土石坝坝型以土质心墙、斜心墙或多种土质坝比较合适,具有较好抗震性能。土质心墙应厚些,防止地震时产生贯穿性裂缝。上下游侧反滤应厚些,保护防渗体,防止万一震裂产生渗流破坏。上下游设砂砾、堆石等透水坝壳,以利排水,并保持下游坝体干燥。如采用均匀土质坝,应设坝内排水,尽量降低坝体浸润线,扩大坝体干燥区,对抗震有利。地震区不要采用刚性心墙坝。

(三)选用合适土料

防渗土料宜选用粘粒含量高、塑性高的粘土、重粉质粘土、重粉质壤土以及粒径良好的砾质粘土等,少用塑性差的轻壤土、砂土等。尽量不用细砂、粉砂或粉土等压实性能差,饱和后容易液化的土料,如不得不用,最好填在下游坝体浸润线以上的干燥区。

(四)制定适宜的上坝含水量,提高压实标准

为了提高塑性,上坝土料含水量宜比最优含水量高 1%～2%。对砂及砂砾等透水料应碾压密实,浸润线以上要求碾压后相对密度不低于 0.75,浸润线以下相对密度不低于 0.75～0.85。为了减少地震沉降量和增大抗剪强度,应提高粘性土的压实度。

(五)坝顶超高应留有余地

地震时会产生附加沉降,取决于坝体填土密实度、坝基情况以及地震强度。如坝体碾压紧密,震陷量不会大。遇 8 度地震,震陷量与坝高之比一般不超过 1%。地震时会产生涌浪,需额外增加坝顶超高 0.5～1.5m,增幅取决于设计烈度和坝前水深。应对近坝的库岸稳定进行详细调查,如地震时有失稳可能,应专门研究加固措施,以及万一地震失稳后所引起的涌浪高度,并据此增加超高。

(六)加强坝体上部抗震

由于地震时坝上部地震惯性力比下部大,以坝顶为最大。故应做好坝上部的抗震措施,如采用上缓下陡坝坡,增加坝顶宽度,万一产生局部滑坡,还应留有一定顶宽。应加强上部坝坡的抗震稳定,如局部采用抛石或干砌石压盖。在坝体中可采用加筋办法,如分层铺设钢筋网或土工格栅,以增加滑弧的阻滑力。高 300m 的苏联努利克土石坝建在 9 度地震区,在靠坝上部的上下游砂砾坝壳中分别设置了 3、4 层及 2 层纵横交叉的钢筋混凝土梁板系统,作为加筋措施,增加坝坡抗震稳定性。

(七)重视与混凝土建筑物以及岸坡接头的抗震措施

土质防渗体与混凝土建筑物的接头型式详见第四章第八节。由于填土与混凝土刚度差别大,地震时不好协调变形,最容易在两者连接部位产生裂缝。当发生上下游方向的地震时,插入式重力墙接头(图 4-52)容易产生裂缝,反之如地震方向平行于坝轴,则渐下式翼墙接头(图 4-51)容易产生裂缝。由于上下游方向土体临空,远比平行于坝轴方向的土体单薄,因此在相同的地震强度下,地震产生的土体振幅前者大于后者,使得地震时土和混凝土接触处的裂缝插入式接头比渐下式接头更为严重,前者的抗震性能不如后者。因此,如在地震区采取插入式接头,应插入土体长一些,万一开裂,不致形成渗水通道。无论采用哪一种接头形式,沿土与混凝土接触面应加大防渗体断面。采用粘性高的土料,夯压密实,以提高其抗管涌能力,并在上下游侧加厚反滤,加强对防渗体的保护。

同样,在土质防渗体与岸坡接头处,由于两者刚度不同,地震时也容易在接触面产生裂缝。因此,在此处也应填筑粘性高的土料,扩大防渗体断面,加厚上下游侧反滤。

(八)注意坝下埋管的抗震稳定

地震时坝下埋管震害屡有报道,诸如下沉、管壁断裂、漏水冲刷坝体等。因此,强震区应尽量不设坝下埋管,如不得不设,应尽量将埋管置于岩石或硬土基上。采用抗震性能较好的钢筋混凝土管或金属管,做好管子接头止水,尽量采用明流,如为压力流,应将管子放在廊道中,防止管子震裂后压力水冲蚀管周填土。扩大与埋管接触的防渗体尺寸,以延长渗径,加厚其上下游侧的反滤。

(九)设置泄空底孔

对于强震区的重要土石坝,应尽量设置泄空底孔,以便地震时如果土石坝发生严重震害,可紧急泄空库水,及时检修,避免威胁大坝安全。

第五节　活断层上土石坝的抗断设计

一、概述

地震可以引起断层活动。活断层一般指 10 万年以来活动过的断层,认为这种断层在工程预期寿命内还有可能活动。当断层活动时,断层一侧对另一侧产生剪切运动。根据活断层运动方向可分为①正断层:断层上盘顺重力方向向下移动;②逆断层:断层上盘逆重力方向向上移动;③平推断层(或走滑断层):断层一侧对另一侧作近水平方向移动。

混凝土坝体为刚性和脆性,大多数修在坚硬岩基上,两者成刚性结合。如修在活断层上,一旦错动,将使混凝土坝开裂,乃至断为两半,并破坏坝与岩基接触面,使帷幕破坏,坝底扬压力大增,导致沿坝基滑动失事。因此在活断层上不能修建混凝土坝,但可以修建土石坝。由于土石坝为柔性,能在一定程度上适应坝基活动断层的错动,采取了适宜的防护措施后还有可能修建。当然,还是应该尽量避免建在活断层上,只有坝不高(不超过数十米),库容不大,在找不到合适坝址情况下,才可以考虑。国内外都有在活断层上建土石坝的实例,下面第四部分将介绍其中 4 座。

二、活断层对土石坝的破坏处理

走向与坝轴正交或斜交、横穿坝体而过的活断层对土石坝危害较大,一旦错动,将带动断层两侧坝体相互产生剪切错动(其方向以及位移量基本与断层同),在坝体产生拉应力区和剪切破坏区,使土质防渗突然开裂,如无可靠的保护措施,将通过裂缝产生集中渗流,导致土质防渗体管涌,裂缝迅速扩大,将大坝冲溃。正断层错动,两侧坝体被拉开而产生张开裂缝,其示意图见图 7-1。

逆断层(包括一些平推断层)错动,会使坝体受到挤压产生剪切破坏。而走向与坝轴线之间夹角较小的垂直平推断层,也会使坝体剪切拉伸而造成裂缝,其示意图见图 7-2。从这些图中,可形象地看出活断层对坝体的破坏机理。

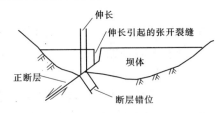

图 7-1　正断层错位引起坝体裂缝

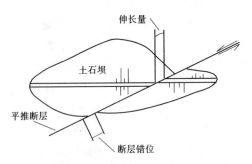

图 7-2　平推断层使坝错位

活断层引发坝体产生裂缝的大小和严重程度,取决于断层性质和错动量。新疆克孜尔水库副坝建在活动的逆断层 F_2 上,曾委托南京水利科学研究院土工所对不同性质活断层在不同错距情况下,对坝体产生的拉应力区和剪切破坏区,进行有限元计算,并用离心模型验证,断层性质分为正断层及逆断层,错距分别为 0.5,1.0,3.0m,结果见图 7-3。由图 7-3 可见,相同错距下,正断层所产生的坝体拉应力和剪切区比逆断层严重,而相同性质的活断层,错距愈大愈严重。

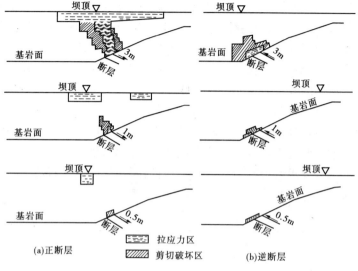

(a)正断层   ▭ 拉应力区
                  ▨ 剪切破坏区   (b)逆断层

图 7-3   克孜尔水库副坝活断层错动坝体应力应变分析结果

三、活断层上建土石坝的工程措施

在查清活断层性质和预估错距的基础上,应采取适宜的工程措施,来保证大坝安全。活断层对土石坝的危害主要是使坝体错动开裂,导致集中渗流,使大坝溃决,而地震的危害主要也是使坝体产生裂缝,只是前者在程度上更为严重,因此一般抗震措施也适用于活断层,但后者又有其独特要求。现将活断层上建坝的工程措施分述如下。

(一)关于坝型和筑坝材料

最好采用厚土心墙分区坝。将断面规划成中间为厚心墙、边坡变化范围宜为 1:0.3～1:1。自心墙向上下游分别设置砂反滤、厚砂砾过渡料、石料,形成良好的排水反滤布局。心墙所用土料最好选用粘粒含量不小于 30% 的粘土,填筑含水量大于最优含水量的 1%～2%,使之具有良好塑性,以适应活断层错动变形,减小裂缝规模。砂反滤宜用洁净中粗砂。砂砾过渡料应该厚一些,由砂砾混合料组成,级配连续、洁净,不会产生内部管涌。这种过渡料可通过人工冲洗筛选天然砂砾料而得到,也可直接来自级配良好的天然砂砾石混合料,J·L·谢拉德等人认为其级配范围如图7-4阴影所示的天然砂砾混合料是良好的过渡料。也可以人工轧碎石料进行筛选,最大粒径为7.62cm(3英寸)或15.24cm(6英寸),以上都可以得到级配满足要求的过渡料。石料可采自天然石料场,新鲜、坚硬,通过爆破工艺控制粒径不要过大,尽量满足与过渡料间的反滤要求。否则,在过渡料与石料间还得铺设砾石或细石反滤层。

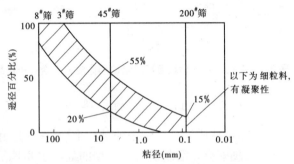

图 7-4　良好的砂过渡料范围

采用上述坝型和各种填筑材料后,一旦活断层错动,土心墙可能开裂,而砂或砂过渡料等都是无粘性材料,其粘聚力和无侧限抗压强度都等于零,剪切后只会松动,而不会产生裂缝。土心墙开裂后发生渗水,由于下游侧为砂反滤和砂砾过渡料等,可以保护心墙土粒不会被渗水带出,又可以迅速排走渗水,进入最下游石料区。工程实践证明坝体石料具有非常高的抗冲能力,不会被渗水冲走,从而保证大坝不会溃决。

(二)坝基处理

粘土心墙应尽量坐落在基岩上,以减少变形。心墙上下游侧的砂反滤最好嵌入基岩 $1\sim1.5m$，将心墙完全包住，如活断层活动引起心墙开裂，渗水不会沿与基岩接触面将心墙土粒带到下游。

在大坝穿过活断层处，应沿心墙与坝基活断层接触面(可扩大至断层两侧一定宽度)设置柔性垫层，使其具有足够柔性，并能适应拉伸，在活断层产生错动蠕变时，能吸收变形能，而在突变时，可随断层上下盘同步移动，始终和断层及心墙贴住，不会脱离，不会发生脆性破坏，不会产生渗水通道。柔性垫层的一种做法是：在挖后基岩上喷涂 $5\sim7mm$ 厚阳离子，在其上铺防老化聚丙烯编织布(适当折叠，使之可以伸长，适应活断层变形)，再浇 $8\sim10cm$ 厚 PVC 砂浆垫层，再在垫层上喷涂 $5\sim7mm$ 厚阳离子沥青，最后填土。

对心墙下面的活断层，应加强固结及帷幕灌浆，加深、加密并增加排数。

(三)设置圈坝中填砂或砂砾

如活动断层与坝轴正交或斜交，横穿坝体而过，在坝不太高(如不超过三四十米)的情况下，可以沿断层走向，在下游设置第二道坝，做好坝体排水，并在坝的两端与原土石坝相接，形成圈坝，从下游将活断层圈住。圈坝内留有数十米宽净空即可，用砂或砂砾混合料回填，碾压密实，要求渗透系数为 $10^{-3}\sim10^{-4}cm/s$，如活断层将土石坝的土质防渗体错裂渗漏，填在圈坝内的砂或砂砾不仅可以保护防渗体不至于管涌，而且由于都是无粘性土，不会因地基活断层错动而形成裂缝，可以暂时替代土石坝挡水，赢得时间，降低库水位，抢修土石坝。1988 年冬作者曾建议采用上述方法作为修在活断层上的新疆克孜尔左岸副坝的抗断工程措施，被采纳实施，详见下文工程实例。

(四)其他

第四节所阐述的适用于一般的抗震措施，也可作为活断层上建坝的工程措施，不再重述。

四、活断层上筑坝的工程实例

以下列举国内外在活断层上修建的 4 座土石坝的工程实例，供设计参考。

(一)柯约特(Coyote)土石坝

建于 1936 年，位于美国加里福尼亚州圣·乔斯(San Jose)市附近，坝高 38m，水库库容 3 000 万 m³，坝基下有卡拉夫列斯断层的主要分支通过，附近的哈瓦尔德(Hayward)断层，在 1868 年发生震级为 6.5~7.0 级地震时发生过错动。地震地质人员预计在该坝运行期间会再次错动，水平位移约 6.0m，垂直位移约 1.0m，断层两侧可能被拉开 300mm，地基中会形成一道张开缝。

经研究认为坝址可安全修建土坝，采用厚粘土心墙坝，厚度约为 5 倍水头，上下游都填筑砂砾石过渡区，万一心墙开裂，砂砾可限制渗水量并保护心墙土料不使其流失。砂砾石过渡区外为块石，即使渗水较大也不会冲失。坝顶宽达 30.5m，超高较大，超出正常水位 6.7m，坝断面见图 7-5。该坝目前还在正常运行，未见异常，但建成后尚未见断层活动。该坝采用厚心墙分区坝，在活断层区建坝，这种坝型是适宜的，但根据美国著名坝工专家 J·L·谢拉德等意见，认为心墙偏厚，砂砾过渡区偏薄。

(二)赛达尔泉(Cedar Springs)土石坝

赛达尔泉坝位于美国加里福尼亚州圣·伯那蒂罗(San Bernardino)县以北约 16km，坝高 66mm，长 671m，库容 0.6 亿 m³，建于 1971 年，著名的圣·安德列斯(San Andreas)大断层在坝址以南约 8km 处通过。坝基有断层 1 及断层 5 两条活断层通过，见图 7-6。在冲积层挖探槽，发现断层两侧的冲积层有明显错动。说明冲积层沉积以来，断层发生错动(距今约 1 000 年)，定为活断层。经分析，在大坝运行期内，活断层 1 及 5 的最大可信侧向或竖向位移达 0.9~1.5m。

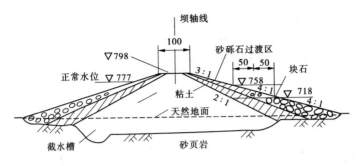

图 7-5　柯约特坝断面(单位:英尺)

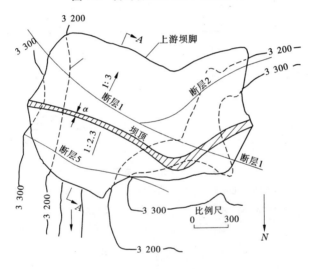

图 7-6　赛达尔泉坝平面与断层位置图(单位:英尺)

因此,必须将大坝设计成能抵御坝基活断层可能产生的上述位移。为此,将坝高由92m降为66m,库容由1.6亿 m³减为0.6亿 m³,移动坝轴,使粘土心墙和主河床坝基均位于基岩上,将断面改成粘土心墙分区坝,在心墙上下游侧分别填筑砂、反滤层、砂砾过渡层以及石料。心墙材料也由原设计的取自当地的粉质砂土,改为从50km以外一个干湖湖底挖上来的非常粘、具有很高抗冲蚀能力的粘土填筑,采用级配良好的粗砂砾混合料(其级配见表7-6)做厚层过渡区料,开采坚硬石料做坝壳。修改后的分区坝典型断面见图7-7。

表7-6　　　　　　　　　　砂砾过渡区的级配

粒　　径	小于该粒径所占的百分比(%)
45.7cm(18英寸)	100
7.6cm(3英寸)	50~100
3.8cm(1.5英寸)	40~90
4.75mm(4号筛)	20~70
0.075mm(200号筛)	0~8

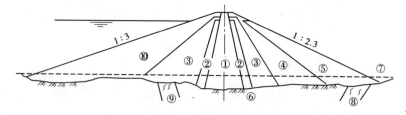

图7-7　赛达尔泉坝典型断面

①—湖相沉积粘土心墙;②—砂反滤过渡层;③—河相砂砾石反滤过渡层;

④—细粒堆石;⑤—粗粒堆石;⑥—基岩;⑦—原地面线;⑧—5#断层;

⑨—1#断层;⑩—不干净的堆石

坝顶宽达19m,约为正常情况下坝顶宽的两倍。经过填筑后心墙土料取样进行试验检查,各项指标的平均值如下:液限47%,塑指32%,小于0.005mm的粘粒含量为66%,击实试验最大干密度1.76t/m³,最优含水量19%。

应该认为赛尔达尔泉坝的抗断层错动的工程措施是可取的,心墙采用粘韧的粘土填筑,具有很高的塑性和抗冲蚀性,不易开裂。即使产生裂缝,并且渗水,但心墙下游有砂反滤,厚的砂砾过渡区以及石料,可以防止心墙土料流失,并将渗水顺畅排到下游。

(三)克孜尔土石坝

位于新疆南部拜城县渭干河干流上,库容 6.4 亿 m^3,坝址基本烈度为 $8\sim8.5$ 度,右岸副坝高 32m,有逆断层 F_2,与坝轴斜交,横穿坝体而过,倾角仅 $20°$,在断层上下盘各深埋钢筋混凝土桩;用精密仪器进行位移观测,证实至今还在蠕动,年平均上下盘水平缩短 0.48mm,垂直向位移 0.307mm,扭动 0.19mm,为活断层,因无法避开,只好在其上建副坝,并采取如下工程措施。

1.关于坝型

采用上下游坡各为 1:1 的厚心墙砂砾坝壳坝,断面示意见图 7-8,因缺粘土,心墙采用粉质粘土,只在靠下部填厚 $2\sim3m$ 的粘土。

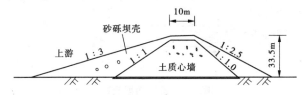

图 7-8　克孜尔副坝示意

2.坝基设柔性垫板

沿 F_2 断层与心墙接触面挖键槽,回填 PVC 胶油砂浆柔性垫层,以适应断层变形,使心墙与断层间不致脱空。

3.在下游设圈坝

1988 年冬,根据作者建议,沿 F_2 断层走向,在下游设圈坝,两端与副坝相接,将 F_2 断层圈住,中填砂砾并压实,渗透系数为 $10^{-3}\sim10^{-4}$cm/s。万一活断层将副坝心墙错动开裂,但圈坝与副坝之间砂砾为无粘性土,不会产生裂缝,故可以拦阻库水,争取时间降低库水进行修补。有关圈坝示意见图 7-9。

克孜尔大坝已建成投入运行,情况正常。

(四)"635"工程副坝

位于新疆额尔齐斯河上,最高坝高 70.6m,库容 2.82 亿 m^3,

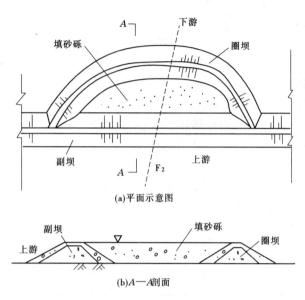

(a)平面示意图

(b)A—A剖面

图 7-9 设置圈坝示意

右岸副坝建基面以上坝高 33.5m,位于富蕴—锡伯渡活断层 F_1 上,预估 F_1 断层位移达 0.5m。

抗活断层的工程措施为:采用粘土心墙分区坝,见图 7-10,增加心墙和坝体厚度,坝顶宽由 8m 加宽到 12m,心墙顶宽由 4m 增为 8m,上游坡由 1:2.25 增至 1:2.75,下游坡由 1:2 放缓到 1:2.5。心墙采用塑性高的粘土筑成,粘粒含量为 30%~40%,由心墙向上下游分别设置反滤料、混合过渡料、砂砾、石渣,以保护心墙。如心墙被活断层错裂,两侧反滤、过渡料等可排除渗水,并防止土粒流失。

关于基础处理:加强心墙以下基岩的固结及帷幕灌浆,沿基岩与心墙接触面设柔性垫层,自下而上依次为喷涂 5~7mm 厚阳离子沥青,一层聚丙烯编织布,8~10cm 厚热沥青,厚 5~7mm 阳离子沥青等。该坝已于 1999 年蓄水运行,情况正常。

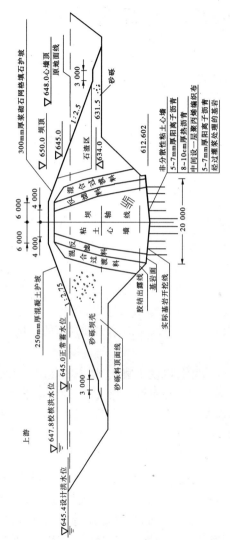

上游

▽647.8校洪水位
▽645.4设计洪水位
▽645.0正常蓄水位

3 000

250mm厚混凝土护坡

1:2.75

砂砾坝壳

砂砾料顶面线

300mm厚浆砌石网格填石护坡

▽650.0坝顶
▽648.0心墙顶

原地面线

3 000

1:2.5

▽645.0

砂砾

石渣区

631.5

△634.0

612.602

6 000

4 000

4 000

6 000

20 000

混合过渡料

反滤料

混凝土心墙

坝轴线

粘土心墙

非分散性粘土心墙
5~7mm厚阳离子沥青
8~10cm厚热沥青
中间设一层聚丙烯编织布
5~7mm厚阳离子沥青
经过灌浆处理的基岩

胶结出露线
基岩面
实际基岩开挖线

混合过渡料
反滤料

图 7-10 "635"工程右岸活断层上副坝断面图(单位:高程为 m,其余为 mm)

第八章　土石坝观测

土石坝应埋设观测设备,在施工期及运行期进行各种项目观测。

第一节　观测目的和任务

一、监视并复核大坝安全

通过施工期观测,可以了解坝体在填筑过程中的状况,如自重产生的坝体孔隙压力、坝体分层沉降、坝基孔隙压力和变形等,必要时应该据此核算施工期坝坡稳定。尤其是建在软土地基上的土石坝,施工期坝基孔隙压力和变形是影响大坝稳定的最主要数据,通过观测取得这些数据,可以复核坝坡稳定,判断大坝是否安全,以及是否需要减缓坝体上升速度,采取诸如加强压戗等措施,以保证施工期大坝安全。

运行期对坝体进行观测,以便了解:①坝体的竖向和水平位移是否在正常范围内,不均匀沉降有没有超过允许值,会不会产生裂缝引起集中渗漏,影响大坝安全。实践表明,正常碾压的土石坝竣工后沉降量为坝高的 0.2% ~0.5%,如超过 1% 可能产生裂缝。不均匀沉降比降(等于两个测点间不均匀沉降量除以两测点间距)如超过 1%,很可能产生裂缝。②施工期产生的孔隙压力,在完工后的消散情况、坝体固结程度。③坝体浸润线位置以及会否影响坝坡稳定、坝肩绕流等水位线分布,坝基渗流等势线分布,据此估算渗透比降并复核坝肩和坝基的渗流稳定性。④坝体和坝基的渗流量是否在允许范围内,根据渗水透明度及水质分析,判断坝体坝基有无发生机械或化学管涌。⑤坝体的应力分布情况,据以判断有无土拱效应,有无可能导致水力劈裂的低应力区,有无导致坝体裂缝的拉应力区,有无剪切破坏区等。

综上所述,进行施工期和运行期观测的主要目的就是密切监视大坝性状,复核大坝安全,一旦出现异常,可及时采取补救措施,不使险象发展,以确保大坝安全。

二、验证并修改设计

根据地质勘探、岩土试验、规程规范、书本、手册等资料,并类比参照已成土石坝工程,提出某一个土石坝设计,其内容涉及坝体沉降、坝体孔隙压力、坝体浸润线、坝肩及坝基渗流场、渗流量、渗流控制措施以及坝体应力应变等计算,都需要通过相关观测资料进行验证、修改,以提高设计水平。

三、为科学研究提供资料

土石坝设计属于岩土范畴,本构关系、边界条件、物理力学参数等往往建立在一定假定基础上,而坝体观测是最好的科学试验场所,所提供的土石坝观测资料,可以直接检验有关理论和计算方法的正确性,为相应的科学研究提供第一手资料,促进科研工作发展。

第二节　观测项目及观测设备

土石坝观测项目与设备包括如下内容。

一、坝面变形观测

(1)垂直位移。
(2)水平位移。

观测设备通常为埋在坝面的混凝土位移标点。

二、坝内及坝基变形观测

(1)坝内沉降。

(2)坝内水平位移。

(3)坝内倾斜。

(4)坝基沉降。

常用设备为横梁式固结管、水管式沉降仪、测斜仪等。

三、应力观测

(1)坝体应力。

(2)坝体孔隙压力。

(3)土与混凝土接触面土压力。

常用设备为各种型式的土压力计:钢弦式、差动电阻式及电阻片式。各种型式的孔隙压力计:水管式、测压管式、电阻应变式及钢弦式等。

四、渗流观测

(1)坝体浸润线。

(2)渗流量、渗水透明度及水质。

(3)岸边绕流。

(4)坝基渗水压力。

常用设备为水管式测压管、渗压计、量水堰等。

五、坝基渗流控制效果分析

(1)防渗措施效果。

(2)排渗措施效果。

常用设备为水管式测压管、渗压计等。

六、其他

(1)裂缝观测。

(2)地震观测。

第三节　布　置

一、布置原则

按坝的等级和重要性确定观测项目和数量。等级高的重要土石坝观测项目和数量都要多些。但近年来有一些重要土石坝,埋设观测设备过多,导致设备完好率不高,观测资料的整理工作量大,影响分析精度。因此,布置观测项目和数量应强调少而精,应该突出重点,能充分反映大坝工作情况即可。

二、不同观测项目的布置

(一)观测控制断面

可选择如下断面作为布置观测设备的控制断面:①河床一般3个,其中一个为最大坝高断面,靠近两岸各一个;②两岸岸坡;③坝基有地质构造处,如基岩断层带、裂缝密集带及高承压水层等;④覆盖层最深或压缩性土层最厚处;⑤有坝下埋管或与混凝土建筑物接触处;⑥坝的合龙段,可根据坝的长短,增减河床布置观测断面的数量。

(二)坝面变形观测

沿上下游坝面不同高程布设若干条(视坝高而定,愈高愈多)平行于坝轴的视准线,其中在坝顶处有两条,分别穿过下游坝肩和上游坝肩(或上游防浪墙)。视准线与施测断面纵横相交,在交点处设置表面标点,观测坝面垂直及水平位移。施测断面间距视坝长而定,一般 50～100m,其中包括控制断面。

(三)坝内及坝基变形观测

从控制断面中挑选不少于两个断面,在施工期即开始进行坝内及坝基分层变形观测。每个横断面上布设的沉降观测垂线,不宜少于 3 根。为了解坝体的不均匀沉降,常将竖向位移测点布设在相互靠近又位于压缩性不同的填料区内,为了与设计值比较,常使观测断面与设计断面一致。

坝内横向水平位移测点,布置在可能产生最大横向位移的断面,并位于坝的上部。纵向水平位移测点多布置在靠近坝顶且位于纵向地形变化急骤处(如两岸岸坡及岸坡与河床交界处)。

对于软土坝基,应在上下游坝脚以外,在坝基表面各布置两排变形标点,以观测坝基水平及竖向变形。

(四)应力观测

(1)土压力计:可在坝体设定若干不同高程的水平面,等距离分布土压力计,以了解水平面上的坝体压力。土压力计还可布设在如下部位:在靠近两岸或坝顶可能出现的拉应力区;在弹模相差较大的土质心墙(或斜墙)与砂砾、石渣等透水坝壳接触面(核查有无由于土拱效应而导致低应力区);沿坝体与混凝土建筑物接触面。

(2)孔隙压力计:在控制断面中选择不少于两个的断面,在每一断面的土质防渗体中布置若干水平线(相互高差 10～15m),在水平线上,以相隔 10～15m 等距布设孔隙压力计。坝体内埋设的孔隙压力计总数应满足绘制孔隙压力等值线要求。

(五)渗流观测

1.坝体浸润线

在控制断面中选择不少于 3 个断面,进行坝体浸润线观测。每个断面的测压管数量依坝型而定,一般不少于 3 根,通常为 3～5 根,布置在横断面的中部和下游部位,具体部位以能控制并顺利勾画坝体浸润线为准。测压管的进水管段应等于或略高于预估的浸润线,这样测得的测压管水位才代表浸润线高程。应指出,在坝体设置渗压计,其测值只代表测点 A 的孔隙水压力,其折算水位等于通过该点的等势线与浸润线交点的高程,而不等于 A 点上方的浸润线高程,两者相差 Δh(图 8-1),只有当等势线为垂直情况下才相等。

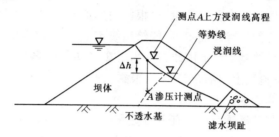

图8-1　渗压计观测示意

2.渗流量、渗水透明度和水质

在坝址下游低洼处设置集水沟,以汇集坝身、坝基和绕坝的渗透流量,在集水沟出口处设置量水堰,量测渗流量。

如渗流量可以分区拦截,分区观测,可在坝趾下游分区设集水沟,分别量测。对于设排水井或反滤排水沟,可选择有代表性或排水沟区段分别量测其渗流量。

集水沟和量水堰应同排泄坝面及两岸岸坡雨水严格分区,不得混淆。应指出,对坝下一定厚度的砂砾覆盖层中的渗流量,难以截住直接量测。有一种替代办法,在覆盖层中布设若干测压管,量测其渗流水位,以水位差除以测压管间距的渗透比降,将各管的渗透比降进行平均,得平均渗透比降 I_a,再按式(8-1)估算砂砾覆盖层渗流量 $Q_覆$:

$$Q_覆 = BKI_a T \qquad (8\text{-}1)$$

式中　B——河床宽,m;

T——覆盖层平均厚,m;

K——砂砾覆盖层平均渗透系数,m/d;

$Q_覆$——砂砾层渗流量,m^3/d。

应该定期从集水沟取渗水水样,进行透明度及水质分析,以了解有无发生机械或化学管涌。

3.岸边绕流

绕流测压管布置和数量,可根据两岸地形地质条件及土石坝与地面相交的轮廓线而定,以能绘出绕流的等水位线为原则。通常根据设计绘制的绕流流线布置测压管,在左右岸各选2~3条流线,在每一流线上间隔布置3~5根测压管。

4.坝基渗水压力

在坝基砂砾透水层及有表面弱透水层的承压水层中布置测压管或渗压计,观测渗水压力,估算渗透比降,判断其渗透稳定性。一般可根据坝基工程地质条件,选择2~3个断面,在坝的防渗体和坝基防渗设施(如截水槽、混凝土防渗墙)下游的坝基中,布设3~5根测压管(或渗压计)。对于强、弱透水层互为夹层的地基中,应分层设置测压管,每层1~3根,以了解各层的渗水压力。在有工程地质构造地段,如断层破碎带、裂隙带上,沿走向间隔布置测压管,以了解渗透比降。

(六)坝基渗流控制效果

主要观测坝基防渗排水设施的渗流控制效果。防渗观测设施的布设:通常选2~3个断面,在防渗设施如混凝土防渗墙、截水槽、灌浆帷幕等的上下游至少各布置1~2根测压管或渗压计,观测渗压水位及其水位差,以了解防渗效果。

排渗效果观测设施的布设:①如坝后采用排水沟,可垂直于排水沟布置1~3个断面,每个断面至少分别在沟上下游各布设一根测压管,测其渗压水位,以了解排渗效果;②如采用减压井排渗,应在平行于坝轴方向的井上游、井间及井下游各布置1个断面,一共

3个断面,每个断面间隔布置若干测压管或渗压计,以检查其排水效果,并了解减压井周围渗压水位的变化情况;③如采用水平褥垫排渗,则选2~3个断面,在褥垫上游、下游及褥垫下面坝基各设一根测压管,观测渗压水位,了解排渗效果。

以上防渗排渗效果观测,还应结合坝体、坝基及绕流的渗流观测断面进行布置。

参考文献

1 SL 274—2001 碾压式土石坝设计规范.北京:中国水利水电出版社,2002

2 SL 189—96 小型水利水电工程碾压式土石坝设计导则.北京:中国水利水电出版社,1997

3 SDJ 213—83 碾压式土石坝施工技术规范.北京:中国水利水电出版社,1984

4 DL 5073—2000 水工建筑物抗震设计规范.北京:中国水利水电出版社,2001

5 GB 18306—2001 中国地震动参数区划图.北京:中国标准出版社,2001

6 水利水电规划设计总院组编.碾压式土石坝设计手册.1989

7 James L. sherard, *et al*. Earth and Earth-Rock Dams. John Wiley & Sons, Inc. 1963

8 华东水利学院土力学教研室主编.土工原理与计算.北京:水利出版社,1980

9 顾淦臣,陈明致.土石坝设计.北京:中国工业出版社,1963

10 郭诚谦,陈慧远.土石坝.北京:水利电力出版社,1992

11 顾淦臣.土石坝地震工程.南京:河海大学出版社,1989

12 J. L. Sherard.坝基内的潜在活断层.水利水电译文,1981(1)

13 林昭.土石坝坝体的孔隙压力.水利水电技术,1982(2)

14 林昭.土坝砂砾基础的渗流控制.水利水电技术,1983(1)

15 林昭.关于土石坝的几种筑坝材料.水利水电技术,1986(11)

16 林昭.黄河大柳树水利枢纽工程高土石坝或高面板堆石坝的抗震稳定性.水利水电工程设计,2002(2)

17 水电部第四工程局及第十三工程局勘测设计院.大坝基础灌浆.北京:水利电力出版社,1976

18 Ronald C. Hirschfeld, Steve J. poulos. Embankment-Dam Engineering. Casagrande Volume. John Wiley & Sons, Inc. 1972